U0364703

黄河流域水土保持数据库表结构与信息代码编制规定

水利部黄河水利委员会　编

黄河水利出版社

图书在版编目(CIP)数据

黄河流域水土保持数据库表结构与信息代码编制规定/水利部黄河水利委员会编 .—郑州:黄河水利出版社,2005.1
ISBN 7 – 80621 – 866 – 1

Ⅰ.黄… Ⅱ.水… Ⅲ.黄河流域 – 水土保持 – 数据库管理系统 Ⅳ.TV882.1 – 39

中国版本图书馆 CIP 数据核字(2004)第 125056 号

出　版　社:黄河水利出版社
　　　　　　地址:河南省郑州市金水路 11 号　　邮政编码:450003
发行单位:黄河水利出版社
　　　　　发行部电话及传真:0371 – 6022620
　　　　　　E-mail:yrcp@public.zz.ha.cn
承印单位:河南第二新华印刷厂
开本:850mm×1 168mm　1/32
印张:7.75
字数:191 千字　　　　　　　　印数:1—2 100
版次:2005 年 1 月第 1 版　　　　印次:2005 年 1 月第 1 次印刷

书号:ISBN 7 – 80621 – 866 – 1/TV·384　　　　定　价:35.00 元

水利部黄河水利委员会文件

黄总办[2004]17号

关于印发《黄河流域水土保持
数据库表结构及数据字典》的通知

委属有关单位:

为加强"数字黄河"工程建设管理,规范黄河流域水土保持数据库建设工作,"数字黄河"工程领导小组办公室委托黄河水利委员会水土保持局组织编写了《黄河流域水土保持数据库表结构及数据字典》,经审查批准为"数字黄河"工程标准,标准名称和编号为:《黄河流域水土保持数据库表结构及数据字典》SZHH15—2004。

本标准自 2004 年 12 月 1 日起实施。在实施过程中各单位应注意总结经验,如有问题请及时函告委水土保持局。本标准由委水土保持局负责解释。

附件:黄河流域水土保持数据库表结构及数据字典

水利部黄河水利委员会
2004 年 11 月 15 日

水利部黄河水利委员会文件

黄总办〔2004〕12 号

关于印发《黄河流域水土保持信息代码编制规定》的通知

委属有关单位:

为加强"数字黄河"工程建设管理,规范黄河流域水土保持信息编码工作,"数字黄河"工程建设领导小组办公室委托黄河水利委员会水土保持局组织编写了《黄河流域水土保持信息代码编制规定》,经审查批准为"数字黄河"工程标准,标准名称和编号为:《黄河流域水土保持信息代码编制规定》SZHH12—2004。

本标准自 2004 年 8 月 10 日起实施。在实施过程中各单位应注意总结经验,如有问题请及时函告委水土保持局。本标准由委水土保持局负责解释。

附件:黄河流域水土保持信息代码编制规定

水利部黄河水利委员会
2004 年 8 月 2 日

《黄河流域水土保持数据库表结构及数据字典》

批 准 部 门:黄河水利委员会

主 持 机 构:黄河水利委员会总工程师办公室

解 释 单 位:黄河水利委员会水土保持局

主 编 单 位:黄河水利委员会水土保持局

黄河水利委员会黄河上中游管理局

参 编 单 位:黄河水土保持生态环境监测中心

主要起草人:朱小勇　罗万勤　曹　炜　喻权刚

王　峰　杨勤科　周鸿文　郭玉涛

陈　平　马　宁　杜亚娟　刘乐融

赵力毅

《黄河流域水土保持信息代码编制规定》

批准部门:黄河水利委员会
主持机构:黄河水利委员会总工程师办公室
解释单位:黄河水利委员会水土保持局
主编单位:黄河水利委员会水土保持局
黄河水利委员会黄河上中游管理局
参编单位:黄河水土保持生态环境监测中心
主要起草人:罗万勤 曹 炜 喻权刚 朱小勇
杨勤科 马安利 赵帮元 王 峰

目　　次

黄河流域水土保持信息代码编制规定

"数字黄河"工程标准

黄河流域水土保持数据库表结构及数据字典

Data Dictionary and Table Structure on Soil and Water Conservation Database of the Yellow River Basin

SZHH15—2004

为规范水土保持生态环境监测数据库建设，实现数据共享，根据《中华人民共和国标准化法》、《水利水电技术标准编写规定》、《水土保持监测技术规程》以及"数字黄河"工程建设有关规定，制定本标准。

本标准适用于黄河流域水土保持生态环境监测系统各级数据库的建设。

《黄河流域水土保持数据库表结构及数据字典》主要包括以下内容：

- ·陈述了主题内容与使用范围；
- ·定义了所采用的主要概念和术语；
- ·给出了标识的编码方法；
- ·规定了数据库中各表的表结构，并对各字段作了说明；
- ·编制了数据字典。

1 总　　则

1.0.1 为规范黄河流域水土保持生态环境监测数据库建设,实现流域水土保持数据的共享,根据《中华人民共和国标准化法》《水利水电技术标准编写规定》、水土保持有关技术标准以及"数字黄河"工程的有关规定,制定本标准。

1.0.2 本标准适用于黄河流域水土保持生态环境监测系统各级数据库的建设。西北内陆河地区参照执行。

1.0.3 在水土保持生态环境监测系统建设中,若本规定不能满足,可根据实际工作需要对本标准未涉及的数据表结构进行扩充。

1.0.4 在水土保持生态环境监测数据库中,所用汉字编码采用《信息技术和信息交换用汉字编码字符集、基本集的扩充》(GB18030—2000)的有关规定。

1.0.5 在水土保持生态环境监测数据库建设中,除应符合本标准外,尚应符合国家现行有关标准、规范与规定。

1.0.6 本标准中,统一采用 1956 年黄海高程系。

2 术 语

2.0.1 中文表名。中文表名是每个表结构的中文名称,它使用简明扼要的文字,表达该表所描述的内容。

2.0.2 表标识。表标识是中文表名汉语拼音或英译的缩写,在进行数据库建设时,用做数据库的表名。

2.0.3 表编号。表编号是对每一个表给定的惟一的一个代号,用来说明表的类型。用三位表示(其中第一位表示表类型编号;第二、三位表示在本类中的序号)。其中表类型编号符合表2.0.3规定。

表2.0.3 表类型编号表

表数据类型	编号
基础信息类	1
自然环境类	2
社会经济类	3
水土流失类	4
预防监督类	5
综合治理类	6
效益评价类	7
空间数据类	8

2.0.4 表体。表体以表格的形式列出表中的每个字段及其中文名称、标识符、数据类型及长度、有无空值、计量单位、是否主键和在主索引中的次序号等。

2.0.5 本标准引用的主要标准有:
《中华人民共和国行政区划代码》(GB/T 2260—2002);
《县以下行政区划代码编制规则》(GB 10114—1988);

《水土保持监测技术规程》(SL277—2002)；

《黄河水利工程基础信息代码编制规定》(SZHH07—2003)；

《黄河基础地理要素分层标准》(SZHH11—2003)；

《黄河流域水土保持信息代码编制规定》(SZHH12—2004)。

3 表 结 构

3.1 数据类型

3.1.1 本标准的数据表结构中使用的数据类型共有四种,即字符型、数值型、时间型和大对象型。

3.1.2 字符型数据用来描述非数值型的信息,不能进行通常所称的数值计算,只能描述意义。字符数据类型的描述格式如式 3.1.2。

$$C(d) \text{ 或 } VC(d) \tag{3.1.2}$$

式中:C——类型标识,固定用来描述不可变长字符类型;

VC——类型标识,固定用来描述可变长字符类型;

( )——括号,作为描述数据长度的固定符号;

d——十进制数,用来描述字符长度。

3.1.3 数值型数据用来描述带小数的浮点数或整数。数值数据类型的描述格式如式 3.1.3。

$$N(D[,d]) \tag{3.1.3}$$

式中:N——类型标识,固定用来描述数值类型;

( )——括号,作为描述数据长度的固定符号;

[ ]——作为描述浮点数小数位的标志;

D——描述数值型数据的总位数(不包括小数点);

,d——描述数值型数据的小数位数。

3.1.4 时间型数据用来描述与时间有关的数据。所有时间型数据均采用公元纪年北京时间。对于只需描述年月日的时间统一采用公元纪年北京时间上午 8 时。时间数据类型的描述用"T"。

3.1.5 大对象型数据用来描述二进制数据。空间数据的存储采用大对象类型。大对象数据类型的描述用"B"。

3.1.6 字段的取值范围按下列规定执行:

   1 可以采用抽象的连续数字描述的,字段描述中将给出它的取值范围;

   2 离散或特殊的描述采用枚举的方法描述取值范围;

   3 若属于代码的,给出每个代码的具体解释。

3.2 表标识符编写规则

3.2.1 表标识符的编写格式如式 3.2.1。

$$X[X...]\_ Y[Y...]\_ Z[Z...] \qquad (3.2.1)$$

式中:X——前缀标识,固定用来描述水土保持生态环境监测数据库数据表;取两种值,TB 为表格数据前缀,GEO 为空间数据前缀;

      Y——标识不同的表类,对于 X 取值为 TB 的表格,其取值按表 3.2.1 的规定执行;对于 X 取值为 GEO 的表格,其取值为取字母 A～Z 和数字 0～9,长度最长为 8;

表 3.2.1 数据表分类及其取值表

表数据类型	编号
基础信息类	JC
自然环境类	ZR
社会经济类	JJ
水土流失类	LS
预防监督类	JD
综合治理类	ZL
效益评价类	PJ

Z——对于 X 取值为 TB 的表格,其取值为取字母 A～
Z 和数字 0～9,长度最长为 8;对于 X 取值为
GEO 的表格,取值为空间数据的比例尺,用 25、
10、5 和 1 分别表示比例尺为 1/25 万、1/10 万、
1/5 万和 1/万。

数据表分类见表 3.2.2。

表 3.2.2　数据表分类及其取值表

表编号	表标识	表名称
101	TB _ JC _ XZQ	行政区表
102	TB _ JC _ XZ	乡镇编码表
103	TB _ JC _ ZL	支流特征表
104	TB _ JC _ XLY	小流域基本情况表
105	TB _ JC _ ZLXZQ	支流与行政区对应关系表
106	TB _ JC _ XLYXZ	小流域与乡镇对应关系表
107	TB _ JC _ JDQ	重点监督区信息表
108	TB _ JC _ JDQXZQ	重点监督区与行政区对应关系表
109	TB _ JC _ YFBHQ	重点预防保护区信息表
110	TB _ JC _ YFBHQXZQ	重点预防保护区与行政区对应关系表
111	TB _ JC _ ZLQ	重点治理区信息表
112	TB _ JC _ ZLQXZQ	重点治理区与行政区对应关系表
113	TB _ JC _ DSCSQ	多沙粗沙区与行政区对应关系表
114	TB _ JC _ HTGYQ	黄土高原区与行政区对应关系表
115	TB _ JC _ DMT	多媒体文件关联信息表
116	TB _ JC _ ZT	专题图关联信息表
201	TB _ ZR _ DMPD	地面坡度表
202	TB _ ZR _ TRLXFBTZ	土壤类型分布及其特征表
203	TB _ ZR _ TRFB	土壤类型分布面积表
204	TB _ ZR _ ZRZY	自然资源表
205	TB _ ZR _ QHTZ	气候特征表
206	TB _ ZR _ ZBDLTZ	植被地理特征表
207	TB _ ZR _ ZBFGD	植被覆盖度表

表编号	表标识	表名称
208	TB＿ZR＿STBCLXQ	水土保持类型区基本情况表
209	TB＿ZR＿STBCLX	水土保持类型区分布面积表
210	TB＿ZR＿DBZC	地面组成物质表
301	TB＿JJ＿XZQMJRK	土地、人口、劳力情况表
302	TB＿JJ＿TDLYJG	土地利用情况表
303	TB＿JJ＿CYJGCZ	农村产业结构与经济情况表
401	TB＿LS＿SWZ	水文站基本情况表
402	TB＿LS＿JCD	监测点基本情况表
403	TB＿LS＿JLXQ	径流小区基本情况表
404	TB＿LS＿NDJLC	农地径流场基本情况表
405	TB＿LS＿RGMCJLC	人工牧草径流场基本情况表
406	TB＿LS＿TRHPJLC	天然荒坡径流场基本情况表
407	TB＿LS＿LDJLC	林地径流场基本情况表
408	TB＿LS＿JLXQJLNS	径流小区径流和泥沙测验成果表
409	TB＿LS＿JLXQTRHS	径流小区土壤含水率实测成果表
410	TB＿LS＿JLXQJLYS	径流小区径流要素过程表
411	TB＿LS＿YLZJSL	雨量站逐日降水量表
412	TB＿LS＿YLZYJSTZ	雨量站月降水量特征值表
413	TB＿LS＿YLZNJSTZ	雨量站年降水量特征值表
414	TB＿LS＿YLZJSQK	雨量站降水量摘录表
415	TB＿LS＿JLZHSYS	径流站洪水水文要素摘录表
416	TB＿LS＿JLZZRSLL	径流站逐日平均流量表
417	TB＿LS＿JLZYLLTZ	径流站月平均流量特征值表
418	TB＿LS＿JLZNLLTZ	径流站年平均流量特征值表
419	TB＿LS＿JLZZRHSL	径流站逐日平均含沙量表
420	TB＿LS＿JLZYHSHAL	径流站月平均含沙量特征值表
421	TB＿LS＿JLZNHSHAL	径流站年平均含沙量特征值表
422	TB＿LS＿JLZXYSSL	径流站逐日平均悬移质输沙率表
423	TB＿LS＿JLZYXYZ	径流站月平均悬移质输沙率特征值表

表编号	表标识	表名称
424	TB _ LS _ JLZNXYZ	径流站年平均悬移质输沙率特征值表
425	TB _ LS _ JLZSCLL	径流站实测流量成果表
426	TB _ LS _ JLZHSCY	径流站逐次洪水测验成果表
427	TB _ LS _ JSYSDWCZ	风蚀监测(降水要素)记录表(定位插针法)
428	TB _ LS _ TRSLDWCZ	风蚀监测(表层土壤含水量)记录表(定位插针法)
429	TB _ LS _ JSYSJCG	风蚀监测(降水要素)记录表(降尘管法)
430	TB _ LS _ TRSLJCG	风蚀监测(表层土壤含水量)记录表(降尘管法)
431	TB _ LS _ DRQSQTYS	冻融侵蚀监测记录表(降水要素,气温,冻融侵蚀要素)
432	TB _ LS _ DRQSTRYS	冻融侵蚀监测记录表(土层温度与容重要素)
433	TB _ LS _ HPJSYS	滑坡监测记录表(降水要素,地下水位)
434	TB _ LS _ HPTWY	滑坡监测记录表(滑坡体位移)
435	TB _ LS _ NSLJSYS	逐次泥石流监测记录表(降水要素)
436	TB _ LS _ NSLYS	逐次泥石流监测记录表(泥石流要素)
437	TB _ LS _ TRXZJC	土壤性质监测记录表
438	TB _ LS _ SWNSQK	水文泥沙情况表
439	TB _ LS _ HDSKNSYJ	水库泥沙淤积情况表
440	TB _ LS _ TRQSQDFJ	土壤侵蚀强度分级面积表
501	TB _ JD _ SBJDQK	水土保持预防监督情况表
502	TB _ JD _ SBYFBHQK	水土保持预防保护情况表
503	TB _ JD _ CSSBQK	城市水土保持概况表
504	TB _ JD _ KFXMFASP	开发建设项目水土保持方案审批情况统计表
505	TB _ JD _ KFXMFATX	开发建设项目水土保持方案工程特性表
506	TB _ JD _ KFXMFAYS	开发建设项目水土保持方案验收表

表编号	表标识	表名称
507	TB _ JD _ XCJL	巡测数据表
508	TB _ JD _ STBCFGTX	水土保持法规体系建设情况统计表
601	TB _ ZL _ LSZLCS	水土保持综合治理措施统计表
602	TB _ ZL _ STBCGCXZ	水土保持工程措施统计表
603	TB _ ZL _ SBGCJBXX	水土保持生态工程项目基本信息表
604	TB _ ZL _ SBGCXMTJ	水土保持生态工程项目统计表
605	TB _ ZL _ GCXMQQ	水土保持生态工程项目前期工作情况表
606	TB _ ZL _ XMJJZB	水土保持生态工程项目技术经济指标表
607	TB _ ZL _ STBCXMJH	水土保持生态工程项目计划及完成情况统计表
608	TB _ ZL _ GCXMJDDT	水土保持生态工程项目进度动态表
609	TB _ ZL _ XMZLQKB	水土保持生态工程项目质量情况表
610	TB _ ZL _ GCZJDWQK	水土保持生态工程项目资金到位情况表
611	TB _ ZL _ XMJSGLQK	水土保持生态工程项目建设管理情况表
612	TB _ ZL _ GCYSQK	水土保持生态工程项目验收情况表
613	TB _ ZL _ STXFXMTJ	生态修复工程项目统计表
614	TB _ ZL _ YDBJJZB	淤地坝工程主要技术经济指标表
615	TB _ ZL _ YDBJSJD	淤地坝工程建设进度表
616	TB _ ZL _ YDBZJDW	淤地坝工程资金到位情况表
617	TB _ ZL _ YDBYXQK	淤地坝工程运行情况调查表
701	TB _ PJ _ XLYLCZB	典型小流域林草植被监测表
702	TB _ PJ _ XLYQHBH	典型小流域小气候变化情况监测表
703	TB _ PJ _ XLYSZBH	典型小流域水质变化情况监测表
704	TB _ PJ _ JCXYDY	水土流失治理措施基础效益定额监测表
705	TB _ PJ _ ZHZLXY	水土流失综合治理效益表
801	GEO _ PD _ 25	坡度(25万)表
802	GEO _ ZB _ 25	植被(25万)表
803	GEO _ TRQSLX _ 25	土壤侵蚀类型(25万)表
804	GEO _ DMZCWZ _ 25	地面组成物质(25万)表

续表 3.2.2

表编号	表标识	表名称
805	GEO_STBCFQ_25	水土保持类型区(25万)表
806	GEO_TDLY_25	土地利用(25万)表
807	GEO_PX_25	坡向(25万)表
808	GEO_SBGCXMQ_25	水土保持生态工程项目区分布(25万)表
809	GEO_PD_10	坡度(10万)表
810	GEO_ZB_10	植被(10万)表
811	GEO_TRQSLX_10	土壤侵蚀类型(10万)表
812	GEO_DMZCWZ_10	地面组成物质(10万)表
813	GEO_STBCFQ_10	水土保持类型区(10万)表
814	GEO_TDLY_10	土地利用(10万)表
815	GEO_PX_10	坡向(10万)表
816	GEO_SBGCXMQ_10	水土保持生态工程项目区分布(10万)表
817	GEO_PD_5	坡度(5万)表
818	GEO_ZB_5	植被(5万)表
819	GEO_TRQSLX_5	土壤侵蚀类型(5万)表
820	GEO_DMZCWZ_5	地面组成物质(5万)表
821	GEO_STBCFQ_5	水土保持类型区(5万)表
822	GEO_TDLY_5	土地利用(5万)表
823	GEO_PX_5	坡向(5万)表
824	GEO_PD_1	坡度(1万)表
825	GEO_ZB_1	植被(1万)表
826	GEO_TRQSLX_1	土壤侵蚀类型(1万)表
827	GEO_DMZCWZ_1	地面组成物质(1万)表
828	GEO_STBCFQ_1	水土保持类型区(1万)表
829	GEO_TDLY_1	土地利用(1万)表
830	GEO_PX_1	坡向(1万)表
831	GEO_SBCSPONT_1	水土保持措施布局(1万)表(POINT)
832	GEO_SBCSLINE_1	水土保持措施布局(1万)表(LINE)
833	GEO_SBCSCIRC_1	水土保持措施布局(1万)表(CIRCLE)
834	GEO_XLY_1	小流域界(1万)表

3.2.2 字段标识的编写格式如式 3.2.2。

$$X[Y[Y...]][\_Z...] \qquad (3.2.2)$$

式中:X——字段标识第一字符,取字母 A ~ Z;

Y——字段标识后续字符,取字母 A ~ Z 和数字 0 ~ 9,不超过 7 个字符;

Z——字段标识后续字符,取字母 A ~ Z 和数字 0 ~ 9,不超过 7 个字符。

根据上述字段格式定义,表中字段必须以字母 A ~ Z 开头,后面允许为字母和数字的组合,最多不超过 7 个,或者带有下划线,后面再为字母和数字的组合,最多不超过 7 个字符。

3.2.3 在表标识和字段标识符中,除固定字符外,采用习惯性或者具有一定意义的字符(或字符串)或其缩写。

3.3 表结构

3.3.1 按照表中数据的信息类别,将数据表分为 8 类。基础信息类数据表表结构的具体描述见附录 A,自然环境类数据表表结构的具体描述见附录 B,社会经济类数据表表结构的具体描述见附录 C,水土流失类数据表表结构的具体描述见附录 D,预防监督类数据表表结构的具体描述见附录 E,综合治理类数据表表结构的具体描述见附录 F,效益评价类数据表表结构的具体描述见附录 G,空间数据类数据表表结构的具体描述见附录 H。

3.4 数据字典

3.4.1 数据字典用来描述水土保持数据库字段名和标识符之间的对应关系以及字段的意义。每个字段的意义描述只给出在表结构中描述的章节号。

3.4.2 以中文字段名为关键词,按中文字段的拼音排列顺序形成数据字典。具体描述见附录 I。

附录 A　基础信息类数据表表结构

A.1　行政区表

A.1.1　行政区表用来记录黄河流域包括的全部行政区域(最小级别为县)。

A.1.2　表标识：TB _ JC _ XZQ。

A.1.3　表编号：101。

A.1.4　表结构见表 A.1.4。

表 A.1.4　行政区表

字　段　名	标 识 符	类型及长度	有无空值	单位	主键	索引序号
行政区编码	XZQBM	C(6)	无		Y	1
行政区名称	XZQMC	VC(50)	无			

A.1.5　行政区编码。按照国家统计局公布的最新县及县以上行政区划代码。

A.1.6　行政区名称。国家规范统一规定的行政区域名称。

A.2　乡镇编码表

A.2.1　乡镇编码表用来记录黄河流域包括的全部乡镇。

A.2.2　表标识：TB _ JC _ XZ。

A.2.3　表编号：102。

A.2.4　表结构见表 A.2.4。

表 A.2.4 乡镇编码表

字 段 名	标识符	类型及长度	有无空值	单位	主键	索引序号
乡镇编码	XZBM	C(9)	无		Y	1
乡镇名称	XZMC	VC(60)	无			

A.2.5 乡镇编码。本标准引用国标 GB10114—88《县以下行政区划代码编制规则》。乡镇编码由两段 8 位数字构成:第一段由 6 位数字构成,为县及县以上行政区划编码;第二段由 2 位数字构成,表示县以下行政区划,即街道、镇、乡及政企合一单位(如农、林、牧场等)的顺序号。

A.2.6 乡镇名称。国家规范统一规定的乡镇名称。

A.3 支流特征表

A.3.1 支流特征表用来描述二级以上支流的基本信息,这些信息一般不随时间的变化而变化。

A.3.2 表标识:TB _ JC _ ZL。

A.3.3 表编号:103。

A.3.4 表结构见表 A.3.4。

A.3.5 支流编码。遵守《黄河水利工程基础信息代码编制规定》(SZHH07—2003)的规定。

A.3.6 支流名称。用汉字命名,用在国家正式出版地图上采用的支流名称。

A.3.7 平均比降。支流源头与入河口高差与支流长度的比值。

A.3.8 流域不对称系数。流域左右岸面积之差与左右岸平均面积的比值。

A.3.9 流域涉及行政区域。流域范围内的行政区域,到县级区域。

表 A.3.4 支流特征表

字 段 名	标识符	类型及长度	有无空值	单位	主键	索引序号
支流编码	ZLBM	C(8)	无		Y	1
支流名称	ZLMC	VC(20)	无			
平均比降	PJBJ	N(4,2)		‰		
流域不对称系数	LYBDCXS	N(4,2)				
流域涉及行政区域	LYSJXZQ	VC(100)				
流域形状系数	LYXZXS	N(4,2)				
相对高差	XDGC	N(6,2)		m		
河口高程	HKGC	N(6,2)		m		
河源高程	HYGC	N(6,2)		m		
河流长度	HLC	N(6,2)		km		
地面组成物质	DMZCWZ	VC(80)				
流域涉及类型区	LYSZLX	VC(40)				
发源地	FYD	VC(40)				
流域面积	LYMJ	N(8,2)		km^2		
支流宽	ZLK	N(5,2)		km		

A.3.10 流域形状系数。一般用流域延长系数,是分水线长度和等面积圆周长的比值。

A.3.11 相对高差。流域内最高高程和最低高程之间的差。

A.3.12 河口高程。支流汇入上级河流处的高程。

A.3.13 河源高程。支流发源处的高程。

A.3.14 河流长度。本级支流的长度。

A.3.15 地面组成物质。用简要文字说明流域内的主要地面组成物质。

A.3.16 流域涉及类型区。流域所覆盖的主要水土保持类型区。

A.3.17 发源地。支流发源地的地名。

A.3.18 流域面积。本级支流覆盖的土地面积。

A.3.19 支流宽。支流的平均宽度。

A.4 小流域基本情况表

A.4.1 小流域基本情况表定义了每个小流域的基本情况。

A.4.2 表标识：TB _ JC _ XLY。

A.4.3 表编号：104。

A.4.4 表结构见表 A.4.4。

表 A.4.4 小流域基本情况表

字 段 名	标识符	类型及长度	有无空值	单 位	主键	索引序号
小流域编码	XLYBM	C(12)	无		Y	1
小流域名称	XLYMC	VC(20)	无			
经度	JD	VC(21)		度分秒—度分秒		
纬度	WD	VC(21)		度分秒—度分秒		
小流域面积	XLYMJ	N(5,2)		km^2		
最高高程	ZGGC	N(6,2)		m		
最低高程	ZDGC	N(6,2)		m		
相对高差	XDGC	N(6,2)		m		

A.4.5 小流域编码。遵守《黄河流域水土保持信息代码编制规定》(SZHH12—2004)的规定。

A.4.6 经度。小流域经度范围,例如：108°23′12″ ~ 108°25′12″

A.4.7 纬度。小流域纬度范围,例如：35°23′12″ ~ 35°25′12″

A.4.8 最高高程。小流域最高点高程。

A.4.9 最低高程。小流域最低点高程。

A.4.10 相对高差。小流域最高点高程和最低点高程之差。

A.5　支流与行政区对应关系表

A.5.1　支流与行政区对应关系表用来描述支流包括的行政区。

A.5.2　表标识:TB＿JC＿ZLXZQ。

A.5.3　表编号:105。

A.5.4　表结构见表A.5.4。

表 A.5.4　支流与行政区对应关系表

字　段　名	标　识　符	类型及长度	有无空值	单位	主键	索引序号
支流编码	ZLBM	C(8)	无		Y	1
行政区编码	XZQBM	C(6)	无		Y	2
行政区所占面积1	XZQSZMJ＿ZL	N(9,2)		km^2		

A.5.5　支流编码。见 A.3.5。

A.5.6　行政区编码。见 A.1.5。当支流跨多个行政区时,表中存在多条记录。

A.5.7　行政区所占面积1。行政区在支流内所占的面积。

A.6　小流域与乡镇对应关系表

A.6.1　小流域与乡镇对应关系表用来描述小流域包括的乡镇。

A.6.2　表标识:TB＿JC＿XLYXZ。

A.6.3　表编号:106。

A.6.4　表结构见表 A.6.4。

A.6.5　小流域编码。见 A.4.5。

A.6.6　乡镇编码。见 A.2.5。

A.6.7　乡镇所占面积。乡镇在小流域内所占面积。

表 A.6.4　小流域与乡镇对应关系表

字　段　名	标 识 符	类型及长度	有无空值	单位	主键	索引序号
小流域编码	XLYBM	C(12)	无		Y	1
乡镇编码	XZBM	C(9)	无		Y	2
乡镇所占面积	XZSZMJ _ XLY	N(5,2)		km²		

A.7　重点监督区信息表

A.7.1　重点监督区信息表用来记录重点监督区的名称、简介等基本信息。

A.7.2　表标识：TB _ JC _ JDQ。

A.7.3　表编号：107。

A.7.4　表结构见表 A.7.4。

表 A.7.4　重点监督区信息表

字　段　名	标 识 符	类型及长度	有无空值	单位	主键	索引序号
重点监督区编码	ZDJDQBM	C(12)	无		Y	1
重点监督区名称	ZDJDQMC	VC(30)	无			
重点监督区简介	ZDJDQJJ	B				

A.7.5　重点监督区编码。遵守《黄河流域水土保持信息代码编制规定》(SZHH12—2004)的规定。

A.7.6　重点监督区简介。重点监督区地理位置、地貌、气象气候、水文、土地利用、人口、经济等要素简单描述,以及纳入重点监督区的原因和开展的重要水土保持监督执法活动等。

A.8　重点监督区与行政区对应关系表

A.8.1　重点监督区与行政区对应关系表用来记录重点监督区包括的行政区(县)。

A.8.2　表标识：TB＿JC＿JDQXZQ。

A.8.3　表编号：108。

A.8.4　表结构见表A.8.4。

表 A.8.4　重点监督区与行政区对应关系表

字　段　名	标 识 符	类型及长度	有无空值	单位	主键	索引序号
重点监督区编码	ZDJDQBM	C(12)	无		Y	1
行政区编码	XZQBM	C(6)	无		Y	2
行政区所占面积2	XZQSZMJ＿JDQ	N(7,2)		km²		

A.8.5　重点监督区编码。见 A.7.5。

A.8.6　行政区编码。见 A.1.5。当重点监督区跨多个行政区时，表中记录多条记录。

A.8.7　行政区所占面积2。行政区在对应重点监督区内所占面积。

A.9　重点预防保护区信息表

A.9.1　重点预防保护区信息表用来记录重点预防保护区的名称、简介等资料。

A.9.2　表标识：TB＿JC＿YFBHQ。

A.9.3　表编号：109。

A.9.4　表结构见表A.9.4。

表 A.9.4　重点预防保护区信息表

字　段　名	标 识 符	类型及 长度	有无 空值	单位	主键	索引 序号
重点预防保护区编码	YFBHQBM	C(12)	无		Y	1
重点预防保护区名称	YFBHQMC	VC(30)	无			
重点预防保护区简介	YFBHQJJ	B				

A.9.5　重点预防保护区编码。遵守《黄河流域水土保持信息代码编制规定》(SZHH12—2004)的规定。

A.9.6　重点预防保护区简介。重点预防保护区地理位置、地貌、气象气候、水文、土地利用、人口、经济等要素简单描述,以及纳入重点预防保护区的原因和开展的重要水土保持预防保护活动等。

A.10　重点预防保护区与行政区对应关系表

A.10.1　重点预防保护区与行政区对应关系表用来记录重点预防保护区包括的行政区(县)。

A.10.2　表标识:TB _ JC _ YFBHQXZQ。

A.10.3　表编号:110。

A.10.4　表结构见 A.10.4。

表 A.10.4　重点预防保护区与行政区对应关系表

字　段　名	标 识 符	类型及 长度	有无 空值	单位	主键	索引 序号
重点预防保护区编码	YFBHQBM	C(12)	无		Y	1
行政区编码	XZQBM	C(6)	无		Y	2
行政区所占面积3	XZQSZMJ _ BHQ	N(7,2)		km²		

A.10.5　重点预防保护区编码。见 A.9.5。

A.10.6 行政区编码。见 A.1.5。当重点预防保护区跨多个行政区时,表中记录多条记录。

A.10.7 行政区所占面积 3。行政区在重点预防保护区内所占面积。

A.11 重点治理区信息表

A.11.1 重点治理区信息表用来记录重点治理区的名称、简介等资料。

A.11.2 表标识: TB _ JC _ ZLQ。

A.11.3 表编号: 111。

A.11.4 表结构见表 A.11.4。

表 A.11.4 重点治理区信息表

字 段 名	标 识 符	类型及长度	有无空值	单位	主键	索引序号
重点治理区编码	ZLQBM	C(12)	无		Y	1
重点治理区名称	ZLQMC	VC(30)	无			
重点治理区简介	ZLQJJ	B				

A.11.5 重点治理区编码。遵守《黄河流域水土保持信息代码编制规定》(SZHH12—2004)的规定。

A.11.6 重点治理区简介。指重点治理区地理位置、地貌、气象气候、水文、土地利用、人口、经济、水土流失与水土保持特点等进行简要描述。

A.12 重点治理区与行政区对应关系表

A.12.1 重点治理区与行政区对应关系表用来记录重点治理区包

括的行政区(县)。

A.12.2 表标识：TB _ JC _ ZLQXZQ。

A.12.3 表编号：112。

A.12.4 表结构见表 A.12.4。

表 A.12.4 重点治理区与行政区对应关系表

字 段 名	标识符	类型及长度	有无空值	单位	主键	索引序号
重点治理区编码	ZLQBM	C(12)	无		Y	1
行政区编码	XZQBM	C(6)	无		Y	2
行政区所占面积4	XZQSZMJ _ ZLQ	N(7,2)		km²		

A.12.5 重点治理区编码。见 A.11.5。

A.12.6 行政区编码。见 A.1.5。当重点治理区跨多个行政区时，表中记录多条记录。

A.12.7 行政区所占面积4。行政区在重点治理区内所占面积。

A.13 多沙粗沙区与行政区对应关系表

A.13.1 多沙粗沙区与行政区对应关系表用来记录黄河中游多沙粗沙区包括的行政区信息。

A.13.2 表标识：TB _ JC _ DSCSQ。

A.13.3 表编号：113。

A.13.4 表结构见表 A.13.4。

表 A.13.4 多沙粗沙区与行政区对应关系表

字 段 名	标识符	类型及长度	有无空值	单位	主键	索引序号
行政区编码	XZQBM	C(6)	无		Y	1
行政区所占面积5	XZQSZMJ _ DSCSQ	N(7,2)		km²		

A.13.5 行政区编码。见 A.1.5。表中记录黄河中游多沙粗沙区包括的行政区的多条记录。

A.13.6 行政区所占面积 5。行政区占黄河中游多沙粗沙区的面积。

A.14 黄土高原区与行政区对应关系表

A.14.1 黄土高原区与行政区对应关系表用来记录黄河流域黄土高原地区包括的行政区信息。

A.14.2 表标识：TB＿JC＿HTGYQ。

A.14.3 表编号：114。

A.14.4 表结构见表 A.14.4。

表 A.14.4　黄土高原区与行政区对应关系表

字　段　名	标 识 符	类型及长度	有无空值	单位	主键	索引序号
行政区编码	XZQBM	C(6)	无		Y	1
行政区所占面积 6	XZQSZMJ＿HTGYQ	N(8,2)		km^2		

A.14.5 行政区编码。见 A.1.5。表中记录黄河流域黄土高原地区包括的行政区的多条记录。

A.14.6 行政区所占面积 6。行政区占黄河流域黄土高原地区的面积。

A.15 多媒体文件关联信息表

A.15.1 多媒体文件关联信息表用来记录各行政区、支流及其他各种空间尺度下各地区所关联的多媒体文件。

A.15.2 表标识：TB＿JC＿DMT。

A.15.3 表编号：115。

A.15.4 表结构见表 A.15.4。

表 A.15.4 多媒体文件关联信息表

字　段　名	标 识 符	类型及长度	有无空值	单位	主键	索引序号
空间尺度	KJCD	C(2)	无		Y	1
具体区域编码	BM	VC(12)	无		Y	2
多媒体文件序号	DMTBM	N(4)	无		Y	3
多媒体文件中文名称	DMTMC	VC(100)				
对应的文件	DYWJ	VC(100)				
文件类型	WJLX	VC(5)				
文件描述	WJMS	VC(2000)				

A.15.5 空间尺度。空间尺度标志用来描述数据的空间范围属性,当表示两个不同尺度的空间区域相交叉时,第一个区域(具体区域 1)对应的空间尺度为"空间尺度 1",第二个区域(具体区域 2)对应的空间尺度为"空间尺度 2"。空间尺度名称及编号对照关系见表 A.15.5。

表 A.15.5 空间尺度名称及编码对照表

空间尺度名称	空间尺度编码
全流域	00
支流	01
小流域	02
行政区	03
乡镇	04
多沙粗沙区	05
黄土高原区	06
重点治理区	07
重点监督区	08
重点预防保护区	09

A.15.6　具体区域编码。对应于不同的空间尺度,编码具有不同的含义。具体关系见 A.15.6。

表 A.15.6　不同空间尺度编码所代表含义表

空间尺度	编码含义	参见
全流域	指黄河流域	A.15.11
支流	某一支流	A.3.5
小流域	某一小流域	A.4.5
行政区	某一行政区	A.1.5
乡镇	某一具体乡镇	A.2.5
多沙粗沙区	多沙粗沙区	A.15.11
黄土高原区	黄土高原区	A.15.11
重点治理区	某一具体重点治理区	A.11.5
重点监督区	某一具体重点监督区	A.7.5
重点预防保护区	某一具体重点预防保护区	A.9.5

A.15.7　多媒体文件序号。该顺序号由系统生成。

A.15.8　对应的文件。多媒体文件在服务器中所对应的文件。

A.15.9　文件类型。多媒体文件所对应的文件的文件类型。

A.15.10　文件描述。多媒体文件的详细描述。

A.15.11　黄河流域编码暂定为"HHLY",黄土高原区编码暂定为"HTGYQ",多沙粗沙区编码暂定为"DSCSQ"。

A.16　专题图关联信息表

A.16.1　专题图关联信息表用来记录各行政区、支流及其他各种空间尺度下各地区所关联的水土保持专业专题图,如土地利用图、植被图等。

A.16.2　表标识: TB _ JC _ ZT。

A.16.3 表编号：116。

A.16.4 表结构见表 A.16.4。

表 A.16.4 专题图关联信息表

字 段 名	标识符	类型及长度	有无空值	单位	主键	索引序号
空间尺度	KJCD	C(2)	无		Y	1
具体区域编码	BM	VC(12)	无		Y	2
专题分类编码	ZTFLBM	C(2)	无		Y	3
专题序号	ZTXH	VC(20)				
专题名称	ZTMC	VC(100)				
专题描述	ZTMS	VC(2000)				

A.16.5 空间尺度。见 A.15.5。

A.16.6 具体区域编码。见 A.15.6。

A.16.7 专题分类编码。表示专题的信息类型。专题分类及编码对照关系见表 A.16.7。

表 A.16.7 专题分类及编码对照表

专题分类	专题分类编码
基础信息	01
自然环境信息	02
社会经济信息	03
水土流失信息	04
预防监督信息	05
综合治理信息	06
效益评价信息	07

A.16.8 专题序号。专题序号计算机自动生成。

A.16.9 专题名称。指各专题图的具体名称。其中基础信息类包括行政区划图、卫星影像图、水系图、水土保持"三区"划分图等;自然环境信息类包括水土保持分区图、地面物质组成分布图、土壤分布图、植被分布图、降水等值线图、坡度图等;社会经济信息类包括土地利用图等;水土流失信息类包括输沙模数变化图、土壤侵蚀类型图、水土流失现状图、监测站点分布图等;预防监督信息类包括开发建设项目分布图、开发建设项目地理位置图、防治措施总体布局图等;综合治理信息类包括水土保持生态工程项目分布图、项目区地理位置图、水土保持现状图、水土保持规划图、坝系布局图、单项工程设计图、单项措施标准设计和典型设计图、水土保持工程竣工验收图等。

附录 B 自然环境信息类数据表表结构

B.1 地面坡度表

B.1.1 地面坡度表用来记录黄河流域各种空间尺度下的不同自然坡度的土地面积。

B.1.2 表标识：TB _ ZR _ DMPD。

B.1.3 表编号：201。

B.1.4 表结构见表 B.1.4。

表 B.1.4 地面坡度表

字 段 名	标 识 符	类型及长度	有无空值	单位	主键	索引序号
统计年份	TJNF	C(4)	无		Y	1
空间尺度1	KJCD1	C(2)	无		Y	2
具体区域编码1	BM1	VC(12)	无		Y	3
空间尺度2	KJCD2	C(2)	无		Y	4
具体区域编码2	BM2	VC(12)	无		Y	5
坡度小于5°	PDZC _ 5	N(8,2)		km^2		
坡度介于5°~8°	PDZC5 _ 8	N(8,2)		km^2		
坡度介于8°~15°	PDZC8 _ 15	N(8,2)		km^2		
坡度介于15°~25°	PDZC15 _ 25	N(8,2)		km^2		
坡度介于25°~35°	PDZC25 _ 35	N(8,2)		km^2		
坡度大于35°	PDZC _ 35	N(8,2)		km^2		

B.1.5 统计年份。表示数据的时标,数据格式为:4位数标识的公元纪年。

B.1.6 空间尺度 1。见 A.15.5。

B.1.7 具体区域编码 1。见 A.15.6。

B.1.8 空间尺度 2。见 A.15.5。如果本空间尺度 2 不需要,取特殊值"NULL"。

B.1.9 具体区域编码 2。见 A.15.6。如空间尺度 2 为"NULL",取特殊值"NULL"。

B.1.10 坡度小于 5°。坡度小于 5 度的土地面积。

B.1.11 坡度介于 5°~8°。坡度在 5 度到 8 度之间的土地面积。

B.1.12 坡度介于 8°~15°。坡度在 8 度到 15 度之间的土地面积。

B.1.13 坡度介于 15°~25°。坡度在 15 度到 25 度之间的土地面积。

B.1.14 坡度介于 25°~35°。坡度在 25 度到 35 度之间的土地面积。

B.1.15 坡度大于 35°。坡度大于 35 度的土地面积。

B.2 土壤类型分布及其特征表

B.2.1 土壤类型分布及其特征表用来记录黄河流域的各种土壤类型的特征描述等信息。

B.2.2 表标识:TB_ZR_TRLXFBTZ。

B.2.3 表编号:202。

B.2.4 表结构见表 B.2.4。

表 B.2.4 土壤类型分布及其特征表

字 段 名	标识符	类型及长度	有无空值	单位	主键	索引序号
土壤类型编码	TRLXBM	C(3)	无		Y	1
土壤类型名称	TRLXMC	VC(10)	无			
主要分布区域	ZYFBQY	VC(1000)				
基本特征	JBTZ	VC(1200)				

B.2.5 土壤类型编码。参照《中国土壤分类与代码》(GB/T 17296—2000)进行编码,根据黄河流域水土保持实际情况,具体编码如表 B.2.5。

表 B.2.5 土壤类型编码

序号	编码	名称
1	061	垆土
2	081	黑垆土
3	092	黄绵土
4	121	灌淤土
5	114	潮土
6	200	棕壤
7	211	褐土
8	220	灰褐土
9	292	栗钙土
10	301	棕钙土
11	311	灰钙土
12	391	盐土
13	410	碱土
14	461	风沙土
15	999	其他土类

B.2.6 土壤类型名称。参见表 B.2.5 名称一栏。

B.2.7 主要分布区域。土壤分布的地理范围。

B.2.8 基本特征。土壤的厚度、分层、有机质、矿物质、结构、构造等反映土壤基本属性的描述。

B.3 土壤类型分布面积表

B.3.1 土壤类型分布面积表用来记录黄河流域的土壤类型分布

面积数据。

B.3.2 表标识：TB _ ZR _ TRFB。

B.3.3 表编号：203。

B.3.4 表结构见 B.3.4。

表 B.3.4 土壤类型分布面积表

字 段 名	标 识 符	类型及长度	有无空值	单位	主键	索引序号
统计年份	TJNF	C(4)	无		Y	1
空间尺度 1	KJCD1	C(2)	无		Y	2
具体区域编码 1	BM1	VC(12)	无		Y	3
空间尺度 2	KJCD2	C(2)	无		Y	4
具体区域编码 2	BM2	VC(12)	无		Y	5
土壤类型编码	TRLXBM	C(3)	无		Y	6
分布面积	FBMJ	N(8,2)		km^2		

B.3.5 统计年份。见 B.1.5。

B.3.6 空间尺度 1。见 B.1.6。

B.3.7 具体区域编码 1。见 B.1.7。

B.3.8 空间尺度 2。见 B.1.8。

B.3.9 具体区域编码 2。见 B.1.9。

B.3.10 土壤类型编码。见 B.2.5。

B.3.11 分布面积。特定土壤类型的分布面积。

B.4 自然资源表

B.4.1 自然资源表用来记录黄河流域内各个行政区统计年份的土地资源、水资源、生物资源、矿藏资源等自然资源信息。

B.4.2 表标识：TB _ ZR _ ZRZY。

B.4.3 表编号：204。

B.4.4 表结构见表 B.4.4。

表 B.4.4 自然资源表

字 段 名	标 识 符	类型及长度	有无空值	单位	主键	索引序号
统计年份	TJNF	C(4)	无		Y	1
空间尺度 1	KJCD1	C(2)	无		Y	2
具体区域编码 1	BM1	VC(12)	无		Y	3
空间尺度 2	KJCD2	C(2)	无		Y	4
具体区域编码 2	BM2	VC(12)	无		Y	5
农地	TDZY _ ND	N(11,2)		hm^2		
林地	TDZY _ LD	N(11,2)		hm^2		
草地	TDZY _ CD	N(11,2)		hm^2		
水域	TDZY _ SY	N(11,2)		hm^2		
其他用地	TDZY _ QTYD	N(11,2)		hm^2		
未利用地	TDZY _ WLYD	N(11,2)		hm^2		
地表水	SZY _ DBS	N(14,2)		m^3		
地下水	SZY _ DXS	N(14,2)		m^3		
水资源总量	SZY _ ZL	N(15,2)		m^3		
乔木林	ZLCS _ QML	N(11,2)		hm^2		
灌木林	ZLCS _ GML	N(11,2)		hm^2		
经果林	SWZY _ JGL	N(11,2)		hm^2		
天然草地	SWZY _ TRCD	N(11,2)		hm^2		
人工种草	SWZY _ RGZC	N(11,2)		hm^2		
煤储藏量	KZZY _ MEI	N(15,2)		t		
石油储藏量	KZZY _ SY	N(15,2)		t		
天然气储藏量	KZZY _ TRQ	N(15,2)		m^3		
铁储藏量	KZZY _ TIE	N(10,2)		t		
铜储藏量	KZZY _ TONG	N(10,2)		t		
其他矿藏资源储藏量	KZZY _ QT	N(10,2)		t		

B.4.5 统计年份。见 B.1.5。

B.4.6 空间尺度 1。见 B.1.6。

B.4.7 具体区域编码 1。见 B.1.7。

B.4.8 空间尺度 2。见 B.1.8。

B.4.9 具体区域编码 2。见 B.1.9。

B.4.10 农地。以种植农作物为主的土地,包括种植农作物的土地、以种植农作物为主间有零星树木的土地和耕种 3 年以上的滩地。

B.4.11 林地。土地利用的主要方式是林地,包括经果林、灌木林、乔木林。

B.4.12 草地。土地利用的主要方式是草地,包括人工草地和天然草地。

B.4.13 水域。指陆地水域和水利设施用地,包括河流水面、湖泊水面、水库水面、坑塘水面、苇地、滩涂、沟渠。

B.4.14 其他用地。除林地、草地、农地、水域和未利用地外的其他土地利用类型,包括居民点和工矿用地、交通用地等。

B.4.15 未利用地。没有利用的土地,或者难以利用的土地,包括植被覆盖度小于 10% 的荒草地、盐碱地、沼泽地、沙地、裸土地、裸岩、石砾地和未利用的苔原等。

B.4.16 地表水。指分别存在于河流、湖库、沼泽、冰川和冰盖等水体中的水分的总称。

B.4.17 地下水。指埋藏于地面以下岩土孔隙、裂隙、溶隙饱和层中的重力水。

B.4.18 水资源总量。指区域内地表水与地下水资源的总量。

B.4.19 乔木林。指以防治水土流失为主要功能的人工乔木林,根据其功能的不同,可分为坡面防护林、沟头防护林、沟底防护林、塬边防护林、护岸林、水库防护林等。

B.4.20 灌木林。指以防治水土流失为主要功能的人工灌木林。

B.4.21 经果林。以获得经济效益为目标的林地,包括果园、桑园、茶园和花椒等。

B.4.22 天然草地。以天然草本植物为主,未经改良,用于放牧或割草的草地,有时包括以放牧为主的疏林、灌木草地。

B.4.23 人工种草。指在水土流失地区,为蓄水保土、改良土壤、发展畜牧、美化环境、促进畜牧业发展而进行的草本植物培育活动。

B.4.24 煤储藏量。煤的储藏量。

B.4.25 石油储藏量。油田的储藏量。

B.4.26 天然气储藏量。天然气的储藏量。

B.4.27 铁储藏量。铁矿的储藏量。

B.4.28 铜储藏量。铜矿的储藏量。

B.4.29 其他矿藏资源储藏量。除了铜矿、铁矿、天然气田、油田、煤矿外的其他矿产资源的储藏量。

B.5 气候特征表

B.5.1 气候特征表用来记录黄河流域各行政区各统计年度的基本气象情况。

B.5.2 表标识:TB_ZR_QHTZ。

B.5.3 表编号:205。

B.5.4 表结构见表 B.5.4。

B.5.5 统计年份。见 B.1.5。

B.5.6 空间尺度1。见 B.1.6。

B.5.7 具体区域编码1。见 B.1.7。

B.5.8 空间尺度2。见 B.1.8。

B.5.9 具体区域编码2。见 B.1.9。

B.5.10 总降水量。某年的降水量之和。

表 B.5.4 气候特征表

字　段　名	标识符	类型及长度	有无空值	单位	主键	索引序号
统计年份	TJNF	C(4)	无		Y	1
空间尺度1	KJCD1	C(2)	无		Y	2
具体区域编码1	BM1	VC(12)	无		Y	3
空间尺度2	KJCD2	C(2)	无		Y	4
具体区域编码2	BM2	VC(12)	无		Y	5
总降水量	ZJSL	N(5,1)		mm		
降水量6~9月	JSL6_9	N(4)		mm		
最大年降水量	MAXJSL	N(4)		mm		
最小年降水量	MINJSL	N(3)		mm		
总年蒸发量	ZZFL	N(5)		mm		
最大年蒸发量	MAXZFL	N(5)		mm		
最小年蒸发量	MINZFL	N(4)		mm		
年平均气温	NPJQW	N(3,1)		℃		
1月平均气温	JANQW	N(3,1)		℃		
7月平均气温	JULQW	N(3,1)		℃		
绝对最高气温	MAXQW	N(3,1)		℃		
绝对最低气温	MINQW	N(3,1)		℃		
大于等于10℃积温	SDJW	N(5,1)		℃		
平均无霜期	PJWSQ	N(3)		d		
最长无霜期	ZCWSQ	N(3)		d		
最短无霜期	ZDWSQ	N(3)		d		
干燥度	GZD	N(5,2)				
大风日数	DFRS	N(3)		d		
年均风速	NJFS	N(5,2)		m/s		
最大风速	ZDFS	N(5,2)		m/s		
沙尘暴日数	SCBRS	N(3)		d		
年日照时数	NRZSS	N(4)		h		
封冻期起时	FQKS	T				
封冻期止时	FQJS	T				
冻土厚度	DTHD	N(5,2)		m		
年总辐射量	ZFSL	N(7,2)		J/cm^2		

B.5.11 降水量6~9月。某年6、7、8、9月份降水量之和。

B.5.12 最大年降水量。多年年降水量的最大值。

B.5.13 最小年降水量。多年年降水量的最小值。

B.5.14 总年蒸发量。某年自由水面的蒸发量之和。

B.5.15 最大年蒸发量。多年总年蒸发量的最大值。

B.5.16 最小年蒸发量。多年总年蒸发量的最小值。

B.5.17 1月平均气温。1月份日平均气温的平均值。

B.5.18 7月平均气温。7月份日平均气温的平均值。

B.5.19 绝对最高气温。有观测以来年平均气温的最大值。

B.5.20 绝对最低气温。有观测以来年平均气温的最低值。

B.5.21 大于等于10℃积温。日平均气温等于和超过10℃的日平均气温总和。

B.5.22 平均无霜期。多年无霜期的平均值。

B.5.23 干燥度。年自由水面蒸发量与降水量的比值。

B.5.24 大风日数。有大于5m/s风速出现的天数。

B.5.25 年均风速。月平均风速的平均值。

B.5.26 最大风速。年风速的最大值。

B.5.27 沙尘暴日数。出现沙尘暴的天数。

B.5.28 年日照时数。每日日照时数的累计。

B.5.29 封冻期起时。土壤表层冻结的开始时间,以年月日计。

B.5.30 封冻期止时。土壤表层冻结的结束时间,以年月日计。

B.5.31 冻土厚度。出现冻结现象的土层深度。

B.5.32 年总辐射量。每年地表接受太阳辐射能量的总和。

B.6 植被地理特征表

B.6.1 植被地理特征表用来记录黄河流域各种植被类型的地理特征及分布情况。

B.6.2　表标识：TB＿ZR＿ZBDLTZ。

B.6.3　表编号：206。

B.6.4　表结构见表 B.6.4。

表 B.6.4　植被地理特征表

字　段　名	标 识 符	类型及长度	有无空值	单位	主键	索引序号
植被类型	ZBLX	VC(50)				
分布范围	FBFW	VC(200)				
植被特征	ZBTZ	VC(400)				

B.6.5　植被类型。植被分类确定的植被类型。

B.6.6　分布范围。植被分布的地理范围。

B.6.7　植被特征。指反映植被类型、数量、生物量、生长状况等属性的描述。

B.7　植被覆盖度表

B.7.1　植被覆盖度表用来记录黄河流域各种空间尺度下的不同植被覆盖度的土地面积。

B.7.2　表标识：TB＿ZR＿ZBFGD。

B.7.3　表编号：207。

B.7.4　表结构见表 B.7.4。

B.7.5　统计年份。见 B.1.5。

B.7.6　空间尺度1。见 B.1.6。

B.7.7　具体区域编码1。见 B.1.7。

B.7.8　空间尺度2。见 B.1.8。

B.7.9　具体区域编码2。见 B.1.9。

表 B.7.4　植被覆盖度表

字　段　名	标识符	类型及长度	有无空值	单位	主键	索引序号
统计年份	TJNF	C(4)	无		Y	1
空间尺度1	KJCD1	C(2)	无		Y	2
具体区域编码1	BM1	VC(12)	无		Y	3
空间尺度2	KJCD2	C(2)	无		Y	4
具体区域编码2	BM2	VC(12)	无		Y	5
植被覆盖度小于10%面积	ZBFGD_10	N(8,2)		km²		
植被覆盖度10%~30%面积	ZBFGD10_30	N(8,2)		km²		
植被覆盖度30%~45%面积	ZBFGD30_45	N(8,2)		km²		
植被覆盖度45%~70%面积	ZBFGD45_70	N(8,2)		km²		
植被覆盖度70%~80%面积	ZBFGD70_80	N(8,2)		km²		
植被覆盖度大于80%面积	ZBFGD_80	N(8,2)		km²		

B.7.10　植被覆盖度小于10%面积。植被覆盖度小于10%的土地面积。

B.7.11　植被覆盖度10%~30%面积。植被覆盖度为10%~30%的土地面积。

B.7.12　植被覆盖度30%~45%面积。植被覆盖度为30%~45%的土地面积。

B.7.13　植被覆盖度45%~70%面积。植被覆盖度为45%~70%的土地面积。

B.7.14　植被覆盖度70%~80%面积。植被覆盖度为70%~80%的土地面积。

B.7.15　植被覆盖度大于80%面积。植被覆盖度大于80%的土地面积。

B.8 水土保持类型区基本情况表

B.8.1 水土保持类型区基本情况表用来记录黄河流域各种水土保持类型区的基本信息。

B.8.2 表标识：TB _ ZR _ STBCLXQ。

B.8.3 表编号：208。

B.8.4 表结构见表 B.8.4。

表 B.8.4 水土保持类型区基本情况表

字 段 名	标 识 符	类型及长度	有无空值	单位	主键	索引序号
水土保持类型区编码	SBLXQBM	C(5)	无		Y	1
水土保持类型区名称	SBLXQMC	VC(30)	无			
水土保持类型区面积	SBLXQMJ	N(8,2)		km^2		
涉及支流	SJLY	VC(60)	无			
类型区特征	LXQTZ	VC(400)				
地面坡度小于 5°面积所占比例	PDZC _ 5	N(4,2)		%		
地面坡度 5°～8°面积所占比例	PDZC5 _ 8	N(4,2)		%		
地面坡度 8°～15°面积所占比例	PDZC8 _ 15	N(4,2)		%		
地面坡度 15°～25°面积所占比例	PDZC15 _ 25	N(4,2)		%		
地面坡度 25°～35°面积所占比例	PDZC25 _ 35	N(4,2)		%		
地面坡度大于 35°面积所占比例	PDZC _ 35	N(4,2)		%		
沟壑密度	GHMD	VC(20)		km/km^2		
土壤类型	TRLX	VC(50)				
植被类型	ZBLX	VC(50)				
水土流失特点	LSTD	VC(500)				
土壤侵蚀模数	TRQSMS	N(8,2)		t/（km^2·a)		
相关图片	XGTP	B				

B.8.5　水土保持类型区编码。遵守 SZHH12—2004 的规定。

B.8.6　涉及支流。该水土保持类型区涉及的一级支流名称。

B.8.7　类型区特征。对水土保持类型区基本特征的描述。

B.8.8　沟壑密度。流域沟壑总长度与流域面积的比值。

B.8.9　土壤类型。土壤类型的文字描述。

B.8.10　植被类型。见 B.6.5。

B.8.11　水土流失特点。水土保持类型区水土流失面积、强度、方式等。

B.8.12　土壤侵蚀模数。指单位时段内单位水平面积地表土壤及其母质被侵蚀的总量。

B.8.13　相关图片。水土保持类型区相关图片。

B.9　水土保持类型区分布面积表

B.9.1　水土保持类型区分布面积表用来记录各行政区中各种类型区面积分布情况。

B.9.2　表标识：TB _ ZR _ STBCLX。

B.9.3　表编号：209。

B.9.4　表结构见表 B.9.4。

表 B.9.4　水土保持类型区分布面积表

字　段　名	标 识 符	类型及长度	有无空值	单位	主键	索引序号
行政区编码	XZQBM	C(6)	无		Y	1
黄土丘陵沟壑区第一副区	HTQL _ DYI	N(8,2)		km²		
黄土丘陵沟壑区第二副区	HTQL _ DER	N(8,2)		km²		
黄土丘陵沟壑区第三副区	HTQL _ DSAN	N(8,2)		km²		
黄土丘陵沟壑区第四副区	HTQL _ DSI	N(8,2)		km²		
黄土丘陵沟壑区第五副区	HTQL _ DWU	N(8,2)		km²		

续表 B.9.4

字 段 名	标 识 符	类型及长度	有无空值	单位	主键	索引序号
黄土高塬沟壑区	HTGYGH	N(8,2)		km²		
黄土阶地区	HTJDQ	N(8,2)		km²		
冲积平原区	CJPYQ	N(8,2)		km²		
土石山区	TSSQ	N(8,2)		km²		
风沙区	FSQ	N(8,2)		km²		
干旱草原区	GHCYQ	N(8,2)		km²		
高地草原区	GDCYQ	N(8,2)		km²		
林区	LINGQU	N(8,2)		km²		
其他水保类型区	QTSBLXQ	N(8,2)		km²		

B.9.5 行政区编码。见 A.1.5。

B.10 地面组成物质表

B.10.1 地面组成物质表用来记录黄河流域各种空间尺度下不同地面组成物质所占面积。

B.10.2 表标识：TB_ZR_DBZC。

B.10.3 表编号：210。

B.10.4 表结构见表 B.10.4。

B.10.5 统计年份。见 B.1.5。

B.10.6 空间尺度 1。见 B.1.6。

B.10.7 具体区域编码 1。见 B.1.7。

B.10.8 空间尺度 2。见 B.1.8。

B.10.9 具体区域编码 2。见 B.1.9。

B.10.10 石质面积。地表组成为石质的面积。

B.10.11 土石质面积。地表组成为土石质的面积。

表 B.10.4　地面组成物质表

字　段　名	标 识 符	类型及长度	有无空值	单位	主键	索引序号
统计年份	TJNF	C(4)	无		Y	1
空间尺度 1	KJCD1	C(2)	无		Y	2
具体区域编码 1	BM1	VC(12)	无		Y	3
空间尺度 2	KJCD2	C(2)	无		Y	4
具体区域编码 2	BM2	VC(12)	无		Y	5
石质面积	DBZC_SZ	N(8,2)		km^2		
土石质面积	DBZC_TSZ	N(8,2)		km^2		
土质面积	DBZC_TZ	N(8,2)		km^2		
沙质面积	DBZC_SHAZ	N(8,2)		km^2		
居民地面积	DBZC_JMD	N(8,2)		km^2		
水面面积	DBZC_SM	N(8,2)		km^2		

B.10.12　土质面积。地表组成为土质的面积。

B.10.13　沙质面积。地表组成为沙质的面积。

B.10.14　居民地面积。地表组成为居民地的面积。

B.10.15　水面面积。地表组成为水面的面积。

附录 C 社会经济信息类数据表表结构

C.1 土地、人口、劳力情况表

C.1.1 土地、人口、劳力情况表用来记录黄河流域各行政区的土地面积、人口及劳力等信息。

C.1.2 表标识：TB_JJ_XZQMJRK。

C.1.3 表编号：301。

C.1.4 表结构见表 C.1.4。

C.1.5 统计年份。见 B.1.5。

C.1.6 空间尺度1。见 B.1.6。

C.1.7 具体区域编码1。见 B.1.7。

C.1.8 空间尺度2。见 B.1.8。

C.1.9 具体区域编码2。见 B.1.9。

C.1.10 总面积。区域的土地面积。

C.1.11 总户数。区域内总户数。

C.1.12 总人口数。区域内总人口数。

C.1.13 农业人口数。区域内农业人口总数。

C.1.14 人口增长率。区域内人口年增长率。

C.1.15 农业男劳力数。区域内农业男劳力数。

C.1.16 农业女劳力数。区域内农业女劳力数。

C.1.17 农业劳力数合计。区域内农业劳力数。

C.1.18 农业劳力增长率。区域内农业劳力增长率数。

C.1.19 文盲人口数。区域内文盲人口数。

C.1.20 小学毕业人口数。区域内小学毕业人口数。

C.1.21 初中毕业人口数。区域内初中毕业人口数。

C.1.22 高中毕业人口数。区域内高中毕业人口数。

C.1.23 大专人口数。区域内大专人口数。

表 C.1.4 土地、人口、劳力情况表

字 段 名	标 识 符	类型及长度	有无空值	单位	主键	索引序号
统计年份	TJNF	C(4)	无		Y	1
空间尺度1	KJCD1	C(2)	无		Y	2
具体区域编码1	BM1	VC(12)	无		Y	3
空间尺度2	KJCD2	C(2)	无		Y	4
具体区域编码2	BM2	VC(12)	无		Y	5
总面积	ZMJ	N(8,2)	km²		
总户数	ZHS	N(7)	户		
总人口数	RK＿SUM	N(8,2)	万人		
农业人口数	NYRK	N(8,2)	万人		
人口增长率	RK＿ZZL	N(4,2)	‰		
农业男劳力数	NYLL＿NAN	N(8,2)	万人		
农业女劳力数	NYLL＿NU	N(8,2)	万人		
农业劳力数合计	NYLL＿HJ	N(8,2)	万人		
农业劳力增长率	NYLL＿ZZL	N(4,2)	%		
文盲人口数	RKSZ＿WM	N(7,2)	万人		
小学毕业人口数	RKSZ＿XX	N(8,2)	万人		
初中毕业人口数	RKSZ＿CZ	N(8,2)	万人		
高中毕业人口数	RKSZ＿GZ	N(8,2)	万人		
大专毕业人口数	RKSZ＿DZ	N(8,2)	万人		
大专及以上毕业人口数	RKSZ＿DZYS	N(8,2)	万人		
人口密度	RKMD＿SUM	N(6,2)	人／km²		
农村人口密度	RKMD＿NONG	N(6,2)	人／km²		

C.1.24 大专及以上毕业人口数。区域内大专以上人口数。

C.1.25 人口密度。区域内总人口与区域面积的比值。

C.1.26 农村人口密度。区域内农村人口平均密度数。

C.2 土地利用情况表

C.2.1 土地利用情况表用来记录黄河流域各空间尺度下土地利
用结构的信息。

C.2.2　表标识：TB＿JJ＿TDLYJG。

C.2.3　表编号：302。

C.2.4　表结构见表 C.2.4。

表 C.2.4　土地利用情况表

字　段　名	标识符	类型及长度	有无空值	单位	主键	索引序号
统计年份	TJNF	VC(4)	无		Y	1
空间尺度 1	KJCD1	C(2)	无		Y	2
具体区域编码 1	BM1	VC(12)	无		Y	3
空间尺度 2	KJCD2	C(2)	无		Y	4
具体区域编码 2	BM2	VC(12)	无		Y	5
土地利用类型编码	TDLYLXBM	C(3)	无		Y	6
土地利用面积	TDLYMJ	N(11,2)		hm^2		

C.2.5　统计年份。见 B.1.5。

C.2.6　空间尺度 1。见 B.1.6。

C.2.7　具体区域编码 1。见 B.1.7。

C.2.8　空间尺度 2。见 B.1.8。

C.2.9　具体区域编码 2。见 B.1.9。

C.2.10　土地利用类型编码。见表 C.2.8。

表 C.2.8　土地利用类型编码表

序号	编码	名称	序号	编码	名称
1	100	耕地	14	410	天然草地
2	110	灌溉水田	15	430	人工草地
3	120	望天田(包括梯田)	16	500	居民点和工矿用地
4	130	水浇地	17	600	交通用地
5	140	旱耕地(包括坝地)	18	700	水域
6	200	园地	19	800	未利用地
7	210	经济林	20	810	荒草地
8	250	果园	21	820	盐碱地
9	300	林地	22	840	沙地
10	310	有林地	23	850	裸地
11	320	灌木林地	24	860	裸岩
12	330	疏林地和幼林地	25	870	田坎
13	400	草地	26	880	其他土地利用类型

C.2.11 土地利用面积。土地利用类型对应的面积。

C.3 农村产业结构与经济情况表

C.3.1 农村产业结构与经济情况表用来记录黄河流域各种空间尺度下产业结构组成数据。

C.3.2 表标识：TB ＿ JJ ＿ CYJGCZ。

C.3.3 表编号：303。

C.3.4 表结构见表 C.3.4。

表 C.3.4 农村产业结构与经济情况表

字　段　名	标 识 符	类型及长度	有无空值	单位	主键	索引序号
统计年份	TJNF	C(4)	无		Y	1
空间尺度 1	KJCD1	C(2)	无		Y	2
具体区域编码 1	BM1	VC(12)	无		Y	3
空间尺度 2	KJCD2	C(2)	无		Y	4
具体区域编码 2	BM2	VC(12)	无		Y	5
农业产值	CZ ＿ NONG	N(10,2)		万元		
林业产值	CZ ＿ LIN	N(10,2)		万元		
牧业产值	CZ ＿ MU	N(10,2)		万元		
副业产值	CZ ＿ FU	N(10,2)		万元		
其他产值	CZ ＿ QT	N(10,2)		万元		
大牲畜数	SXTS ＿ DSX	N(7)		万头		
养猪头数	SXTS ＿ ZHU	N(7)		万头		
养羊只数	SXTS ＿ YANG	N(7)		万只		
家禽饲养数	SXTS ＿ JIAQIN	N(7)		万只		
粮食总产量	LSZC	N(10,2)		万 t		
人均粮食	RJLS	N(6,2)		kg/人		
农业人均产值	NYRJCL	N(8,2)		元/人		
农业人均收入	NYRJSR	N(8,2)		元/人		
饮水保证率	RJYSBZL	N(5,2)		%		

C.3.5 统计年份。见 B.1.5。

C.3.6 空间尺度 1。见 B.1.6。

C.3.7 具体区域编码 1。见 B.1.7。

C.3.8 空间尺度 2。见 B.1.8。

C.3.9 具体区域编码 2。见 B.1.9。

C.3.10 农业产值。以货币形式表示的区域内当年种植业和其他农业产值之和。

C.3.11 林业产值。以货币形式表示的区域内当年营林产值、采集林产品产值、村及村以下采伐竹木产值之和。

C.3.12 牧业产值。以货币形式表示的区域内当年牧业产值之和。

C.3.13 副业产值。以货币形式表示的区域内当年副业产值之和。

C.3.14 其他产值。除副业、牧业、林业和农业外,其他农村产业的产值。

C.3.15 大牲畜数。牛、马、骡、驴、骆驼等大牲畜数量,按照国家统计部门折算的牲畜头数。

C.3.16 养猪头数。养猪数量,按照国家统计部门规定折算数。

C.3.17 养羊只数。养羊数量,按照国家统计部门规定折算数。

C.3.18 家禽饲养数。饲养家禽的数量,按照国家统计部门规定折算数。

C.3.19 粮食总产量。粮食作物的总产量。

C.3.20 人均粮食。人均粮食产量。

C.3.21 农业人均产值。农业人口的粮食、油料等人均产值数量。

C.3.22 农业人均收入。农业人口的人均收入。

C.3.23 饮水保证率。可保证饮水的人口占总人口的百分比。

附录 D 水土流失信息类数据表表结构

D.1 水文站基本情况表

D.1.1 水文站基本情况表用来记录黄河流域水文站的地理位置、类型等信息。

D.1.2 表标识：TB_LS_SWZ。

D.1.3 表编号：401。

D.1.4 表结构见表 D.1.4。

表 D.1.4 水文站基本情况表

字 段 名	标 识 符	类型及长度	有无空值	单位	主键	索引序号
水文站编码	SWZBM	C(9)	无		Y	1
水文站名称	SWZMC	VC(30)				
水文站位置	SWZWZ	VC(30)				
行政区编码	XZQBM	VC(6)				
所在河流	HM	VC(30)				
经度	JD	VC(21)		度分秒—度分秒		
纬度	WD	VC(21)		度分秒—度分秒		
水文站类型	SWZLX	C(2)				
控制流域面积	KZLY	N(8,2)		km²		
观测项目	GCXM	VC(20)				
建站时间	JZSJ	T				
所属单位	SSDW	VC(20)				

D.1.5 水文站编码。按照国家标准规定的水文站统一编码。

D.1.6 水文站名称。水文站的名称。

D.1.7 水文站位置。水文站所在行政区的具体地点。

D.1.8 行政区编码。水文站所在行政区,见 A.1.5。

D.1.9 所在河流。水文站所处河流名称。

D.1.10 经度。见 A.4.6。

D.1.11 纬度。见 A.4.7。

D.1.12 水文站类型。国家规定的水文站的类型。站类用两位字符表示,表示大的测站类型的细分。站类取值见表 D.1.12。

表 D.1.12 水文站站类取值表

类　型	代　码	类　型	代　码
气象站	MM	雨量站	PP
蒸发站	BB	河道站	ZZ
堰闸站	DD	水库站	RR
潮位站	TT	引排水站	DW
抽水站	DP		

D.1.13 控制流域面积。水文站所在河流断面的集水面积。

D.1.14 观测项目。水文观测要求的观测项目。

D.1.15 建站时间。水文站的设立时间。

D.1.16 所属单位。水文站的上级单位。

D.2 监测点基本情况表

D.2.1 监测点基本情况表用来记录各监测点的编码、名称、地理位置等基本情况。

D.2.2 表标识:TB _ LS _ JCD。

D.2.3 表编号:402。

D.2.4 表结构见表 D.2.4。

表 D.2.4 监测点基本情况表

字 段 名	标 识 符	类型及长度	有无空值	单 位	主键	索引序号
监测点编码	JCDBM	C(13)	无		Y	1
监测点名称	JCDMC	VC(30)				
所属监测机构	JCJGBM	VC(30)				
地址	DZ	VC(30)				
监测项目	JCXM	VC(50)				
行政区编码	XZQBM	C(6)				
支流编码	ZLBM	C(8)				
所处水土保持类型区	SBLXQBM	C(5)				
经度	JD	VC(21)		度分秒—度分秒		
纬度	WD	VC(21)		度分秒—度分秒		
备注	BZ	VC(100)				

D.2.5 监测点编码。遵守 SZHH12—2004 的规定。

D.2.6 监测点名称。

D.2.7 所属监测机构。指监测中心、监测中心站、监测总站、监测分站、直属分站以及监测站。

D.2.8 地址。监测点所处行政区位置的名称。

D.2.9 监测项目。监测点监测的主要内容。

D.2.10 行政区编码。见 A.1.5。

D.2.11 支流编码。见 A.3.5。

D.2.12 所处水土保持类型区。见 B.8.5。

D.2.13 经度。见 A.4.6。

D.2.14 纬度。见 A.4.7。

D.2.15 备注。必要相关内容的注解、描述等。

D.3 径流小区基本情况表

D.3.1 径流小区基本情况表用来记录径流小区的编码、名称、面积、坡度、坡长等基本情况。

D.3.2 表标识：TB＿LS＿JLXQ。

D.3.3 表编号：403。

D.3.4 表结构见表 D.3.4。

表 D.3.4 径流小区基本情况表

字 段 名	标 识 符	类型及长度	有无空值	单位	主键	索引序号
监测点编码	JCDBM	C(13)	无		Y	1
径流小区类型	XQLX	C(2)				
土质	TUZHI	VC(20)				
土层厚度	TCHD	N(5,2)		m		
坡度	PD	N(4,2)		°		
坡向	PX	VC(20)				
坡长	PC	N(5,2)		m		
坡宽	PK	N(4,1)		m		
小区面积	XQMJ	N(5,2)		hm^2		
微地形特征	WDXTZ	VC(100)				
测验设备名称	CYSB	VC(50)				
开始观测时间	KSGCSJ	T				

D.3.5 监测点编码。见 D.2.5。

D.3.6 径流小区类型。径流小区的类型。径流小区类型及其标识代码见表 D.3.6。

表 D.3.6　径流小区类型及其标识代码表

径流小区类型	代码	径流小区类型	代码
农地径流场	01	人工牧草径流场	02
天然荒坡径流场	03	林地径流场	04

D.3.7　土质。土壤质地,按照土壤机械组成组合特征对土壤进行的分类命名,我国土壤质地分为3个质地组11类质地。

D.3.8　土层厚度。径流小区地表以下土壤的厚度。

D.3.9　坡度。径流小区坡面的平均坡度。

D.3.10　坡向。径流小区坡面的地理方位。

D.3.11　坡长。径流小区坡面的水平坡长。

D.3.12　坡宽。径流小区坡面的宽度。

D.3.13　小区面积。径流小区垂直投影的面积。

D.3.14　微地形特征。径流小区的地面形状,如呈凹形或地面平整,等等。

D.3.15　测验设备名称。径流小区测验的设备名称。

D.3.16　开始观测时间。指小区开始观测的日期。

D.4　农地径流场基本情况表

D.4.1　农地径流场基本情况表用来记录农地径流场基本情况,如作物名称,播种情况等。

D.4.2　表标识:TB _ LS _ NDJLC。

D.4.3　表编号:404。

D.4.4　表结构见表 D.4.4。

D.4.5　监测点编码。见 D.2.5。

D.4.6　种植作物名称。指农地径流场种植作物名称。

表 D.4.4 农地径流场基本情况表

字 段 名	标 识 符	类型及长度	有无空值	单位	主键	索引序号
监测点编码	JCDBM	C(13)	无		Y	1
种植作物名称	ZWMC	VC(30)	无		Y	2
播种前耕翻深度	GFSD	N(2)		cm		
播种方法	BZFF	VC(30)				
播种日期	BZRQ	T				
中耕方法次数及时间	ZZLCS_GFSCSSJ	VC(50)				
收割日期	SGRQ	T				
土壤团粒结构含量	TRTLJGHL	N(4,2)		%		

D.4.7 播种前耕翻深度。指径流场播种前耕作深度,如步犁耕翻 23cm、机耕耕翻 30cm 等。

D.4.8 播种方法。指人工开沟撒播、点种或者机播等。

D.4.9 播种日期。指播种的相应日期。

D.4.10 中耕方法次数及时间。指人工锄草的时间、次数和深度。

D.4.11 收割日期。指相应的收割日期。

D.4.12 土壤团粒结构含量。指径流场监测区域土壤的团粒结构含量。

D.5 人工牧草径流场基本情况表

D.5.1 人工牧草径流场基本情况表用来记录人工牧草径流场牧草播种及收割等基本情况。

D.5.2 表标识:TB_LS_RGMCJLC。

D.5.3 表编号:405。

D.5.4 表结构见表 D.5.4。

表 D.5.4 人工牧草径流场基本情况表

字 段 名	标 识 符	类型及长度	有无空值	单位	主键	索引序号
监测点编码	JCDBM	C(13)	无		Y	1
牧草名称	MCMC	VC(30)	无		Y	2
播种前耕翻深度	GFSD	N(2)		cm		
播种日期	BZRQ	T				
收割次数及时间	SGCSSJ	VC(50)				
土壤团粒结构含量	TRTLJGHL	N(4,2)		%		

D.5.5 监测点编码。见 D.2.5。

D.5.6 牧草名称。指径流场种植的牧草名称。

D.5.7 播种前耕翻深度。见 D.4.7。

D.5.8 播种日期。见 D.4.9。

D.5.9 收割次数及时间。指径流场牧草实际收割的次数及时间。

D.5.10 土壤团粒结构含量。见 D.4.12。

D.6 天然荒坡径流场基本情况表

D.6.1 天然荒坡径流场基本情况表用来记录天然荒坡径流场荒草种类、密度及分布等基本情况。

D.6.2 表标识:TB_LS_TRHPJLC。

D.6.3 表编号:406。

D.6.4 表结构见表 D.6.4。

D.6.5 监测点编码。见 D.2.5。

D.6.6 荒草种类名称。指荒坡径流场自然生长的草名。

D.6.7 荒草密度分布情况。指径流场荒草覆盖度等情况。

D.6.8 放牧情况。指径流场每月放牧频次。

表 D.6.4 天然荒坡径流场基本情况表

字 段 名	标 识 符	类型及长度	有无空值	单位	主键	索引序号
监测点编码	JCDBM	C(13)	无		Y	1
荒草种类名称	HCMC	VC(30)	无		Y	2
荒草密度分布情况	HCMDFB	VC(50)				
放牧情况	FMQK	N(1)				

D.7 林地径流场基本情况表

D.7.1 林地径流场基本情况表用来记录林地径流场树种分布及造林方式等基本情况。

D.7.2 表标识:TB＿LS＿LDJLC。

D.7.3 表编号:407。

D.7.4 表结构见表 D.7.4。

表 D.7.4 林地径流场基本情况表

字 段 名	标 识 符	类型及长度	有无空值	单位	主键	索引序号
监测点编码	JCDBM	C(13)	无		Y	1
树种	SZ	VC(30)	无		Y	2
造林方法	ZLFF	VC(30)				
混交方式	HJFS	VC(30)				
林龄	LDLL	N(3)		a		
胸径	XJ	N(4,1)		cm		
树高	SG	N(3,1)		m		
郁闭度	YBD	N(4,2)		%		
枯落物厚度	KLWHD	N(3,1)		cm		

D.7.5 监测点编码。见 D.2.5。

D.7.6 树种。指径流场种植的树木品种。

D.7.7 造林方法。指径流场树木栽植方法。如直播、植树等。

D.7.8 混交方式。指径流场不同树种的混交方式。如点状混交、行间混交、片状混交等。

D.7.9 林龄。指从植树的时间算起,每长一年算一年轮,或采用解析方法测得。

D.7.10 胸径。指选择径流场 5~10 株树所测得的平均值。

D.7.11 树高。指选择径流场 5~10 株树所测得的平均值。

D.7.12 郁闭度。指林木树冠在地面上的垂直投影面积与林地面积之比的百分数,通常采用目估法、方格投影法或线段投影法测量。

D.7.13 枯落物厚度。指用目估法、插扦法测得的林地径流场中枯枝落叶层的厚度。

D.8 径流小区径流和泥沙测验成果表

D.8.1 径流小区径流和泥沙测验成果表用来记录径流小区的逐次径流泥沙要素的测验结果数据。

D.8.2 表标识:TB _ LS _ JLXQJLNS。

D.8.3 表编号:408。

D.8.4 表结构见表 D.8.4。

D.8.5 监测点编码。见 D.2.5。

D.8.6 径流次序。指一年内径流小区产流场次的编号。

D.8.7 降水开始时间。指某场降水开始的年、月、日、时、分。

D.8.8 降水结束时间。指某场降水结束的年、月、日、时、分。

D.8.9 降水历时 。指降水从开始到终止的时间。

D.8.10 降水量。指在一定时段内,从大气降落到地面的降水物在地平面上所积聚的水层深度。记录某场降水从开始到结束雨量器测得的实际毫米数。

表 D.8.4 径流小区径流和泥沙测验成果表

字 段 名	标 识 符	类型及长度	有无空值	单位	主键	索引序号
监测点编码	JCDBM	C(13)	无		Y	1
径流次序	JLCX	N(3)	无		Y	2
降水开始时间	JSKSSJ	T				
降水结束时间	JSJSSJ	T				
降水历时	JYLS	N(5,2)		h		
降水量	JSL	N(4,1)		mm		
全次雨强	QCYQ	N(3,1)		mm/h		
5min 最大雨强	ZDYQ_5	N(3,1)		mm/h		
10min 最大雨强	ZDYQ_10	N(3,1)		mm/h		
30min 最大雨强	ZDYQ_30	N(3,1)		mm/h		
径流起流时间	JLQLSJ	T				
径流止流时间	JLZLSJ	T				
水深	SS	N(3,2)		m		
径流系数	JLXS	N(4,2)		%		
含沙量	HSHAL	N(5,2)		kg/m^3		
侵蚀量	QSL	N(5,2)		t/km^2		
植被覆盖度	ZBFGD	N(5,2)		%		

D.8.11 全次雨强。指某场降水单位时间的平均降水量。

D.8.12 5min 最大雨强。指某场降水最大 5 分钟的单位时间降水量。

D.8.13 10min 最大雨强。指某场降水最大 10 分钟的单位时间降水量。

D.8.14 30min 最大雨强。指某场降水最大 30 分钟的单位时间降水量。

D.8.15 径流起流时间。指观测到的某场降水产流的开始时间。

D.8.16 径流止流时间。指观测到的某场降水径流终止时间。

D.8.17 水深。指观测断面面积与水面宽的比值。

D.8.18　径流系数。指时段或次平均径流深与相应降水量的比值。

D.8.19　含沙量。指单位水体浑水中所含干沙的质量,或浑水中干沙质量(容积)与浑水的总质量(总容积)的比值。

D.8.20　侵蚀量。指土壤及其母质在侵蚀营力作用下,从地表处被击溅、剥蚀或崩落并产生位移的数量。

D.8.21　植被覆盖度。指某一区域内,符合一定标准的乔木林、灌木林和草本植物的土地面积占该区域土地总面积的百分比。

D.9　径流小区土壤含水率实测成果表

D.9.1　径流小区土壤含水率实测成果表用来记录土壤含水率的测验成果数据。

D.9.2　表标识:TB_LS_JLXQTRHS。

D.9.3　表编号:409。

D.9.4　表结构见表 D.9.4。

表 D.9.4　径流小区土壤含水率实测成果表

字 段 名	标 识 符	类型及长度	有无空值	单位	主键	索引序号
监测点编码	JCDBM	C(13)	无		Y	1
取样地编号	QYDBH	N(4)			Y	2
测次	CC	N(2)			Y	3
取样时间	QYSJ	T				
取样深度	QYSD	N(3)		cm		
测点含水率	CDHSL	N(4,2)		%		
垂线平均含水率	CXPJHSL	N(4,2)		%		
两测次间降水量	LCCJSL	N(4,1)		mm		

D.9.5　监测点编码。见 D.2.5。

D.9.6　取样地编号。指样地的序号。

D.9.7 测次。指施测的次序。

D.9.8 取样时间。指取样的年、月、日、时、分。

D.9.9 取样深度。指取样器提取样土的深度。

D.9.10 测点含水率。指垂线上某一测点的含水率。

D.9.11 垂线平均含水率。指垂线上测点含水率的加权平均值。

D.9.12 两测次间降水量。指相邻两测次间的降水量。

D.10 径流小区径流要素过程表

D.10.1 径流小区径流要素过程表用来记录径流小区时段降水量、累计降水量、水位、流量、含沙量等要素数据。

D.10.2 表标识:TB_LS_JLXQJLYS。

D.10.3 表编号:410。

D.10.4 表结构见表 D.10.4。

表 D.10.4 径流小区径流要素过程表

字 段 名	标 识 符	类型及长度	有无空值	单位	主键	索引序号
监测点编码	JCDBM	C(13)	无		Y	1
测验时间	CYSJ	T	无			
时段降水量	SDJSL	N(4,1)		mm		
累计降水量	LJJSL	N(4,1)		mm		
水位	SW	N(3,2)		m		
流量	LL	N(5,2)		m³/s		
含沙量	HSHAL	N(5,2)		kg/m³		
备注	BZ	VC(100)				

D.10.5 监测点编码。见 D.2.5。

D.10.6 测验时间。指测验的年、月、日、时、分。

D.10.7 时段降水量。至前一测次时段内的降水量。

D.10.8 累计降水量。记录某场降水从开始至本测次的累计降水量。

D.10.9 水位。指测验断面的水位。

D.10.10 流量。指单位时间内通过测验断面的水体体积。

D.10.11 含沙量。见 D.8.19。

D.11 雨量站逐日降水量表

D.11.1 雨量站逐日降水量表用来记录雨量站逐日的降水量数据。

D.11.2 表标识:TB_LS_YLZJSL。

D.11.3 表编号:411。

D.11.4 表结构见表 D.11.4。

表 D.11.4 雨量站逐日降水量表

字 段 名	标 识 符	类型及 长度	有无 空值	单位	主键	索引 序号
监测点编码	JCDBM	C(13)	无		Y	1
观测日期	GCRQ	T	无		Y	2
日降水量	RJSL	N(4,1)		mm		
测验仪器	CYYQ	VC(30)				
备注	BZ	VC(500)				

D.11.5 监测点编码。见 D.2.5。

D.11.6 观测日期。指观测的年、月、日。

D.11.7 日降水量。记录某日降水量。

D.11.8 测验仪器。指雨量器的名称。

D.11.9 备注。填写雨量站或雨量器迁移、变更情况,包括日期、
方向、距离、高差等说明。

D.12　雨量站月降水量特征值表

D.12.1　雨量站月降水量特征值表用来记录雨量站每月的降水量特征值数据。

D.12.2　表标识:TB_LS_YLZYJSTZ。

D.12.3　表编号:412。

D.12.4　表结构见表D.12.4。

表D.12.4　雨量站月降水量特征值表

字 段 名	标 识 符	类型及长度	有无空值	单位	主键	索引序号
监测点编码	JCDBM	C(13)	无		Y	1
观测月份	GCYF	C(6)	无		Y	2
月降水量	YJSL	N(5,1)		mm		
月降水日数	YJSRS	N(2)		d		
月最大日降水量	YZDRL	N(4,1)		mm		
备注	BZ	VC(500)				

D.12.5　监测点编码。见D.2.5。

D.12.6　观测月份。指观测的年、月。

D.12.7　月降水量。指本月各日降水量总和。

D.12.8　月降水日数。指本月降水日数之总和。

D.12.9　月最大日降水量。指观测月份内最大日降水量。

D.12.10　备注。填写雨量站或雨量器迁移、变更情况,包括日期、方向、距离、高差等说明。

D.13　雨量站年降水量特征值表

D.13.1　雨量站年降水量特征值表用来记录雨量站每年的降水量
　　　　特征值数据。

D.13.2　表标识:TB_LS_YLZNJSTZ。

D.13.3　表编号:413。

D.13.4　表结构见表 D.13.4。

表 D.13.4　雨量站年降水量特征值表

字 段 名	标 识 符	类型及长度	有无空值	单位	主键	索引序号
监测点编码	JCDBM	C(13)	无		Y	1
观测年份	GCNF	C(4)	无		Y	2
年降水量	NJSL	N(5,1)		mm		
年降水日数	NJSRS	N(3)		d		
年最大日降水量	NZDRL	N(4,1)		mm		
年一次最大降水量	NYCZDJSL	N(4,1)		mm		
年一次最大降水量历时	NYCZDJSS	N(5,2)		h		
年初霜出现日期	NCSCXRQ	T				
年终霜出现日期	NZSCXRQ	T				
年初雪出现日期	NCXCXRQ	T				·
年终雪出现日期	NZXCXRQ	T				
备注	BZ	VC(500)				

D.13.5　监测点编码。见 D.2.5。

D.13.6　观测年份。指观测的年份。

D.13.7　年降水量。指年度各月降水量之总和。

D.13.8　年降水日数。指年度各月实际降水日数之总和。

D.13.9　年最大日降水量。指观测年内最大日降水量。

D.13.10　年一次最大降水量。指全年中一次连续降水从开始到结束的降水量最大值。

D.13.11　年一次最大降水量历时。指年一次最大降水量的时长。

D.13.12　年初霜出现日期。指当年入秋至第二年春末第一次出现霜的日期。

D.13.13　年终霜出现日期。指当年入秋至第二年春末最后一次出现霜的日期。

D.13.14　年初雪出现日期。指本年第一场雪出现的日期。

D.13.15　年终雪出现日期。指本年最后一场雪出现的日期。

D.13.16　备注。指雨量站或雨量器迁移、变更情况,包括日期、方向、距离、高差等,有关插补、分列资料情况,影响资料精度等说明。

D.14　雨量站降水量摘录表

D.14.1　雨量站降水量摘录表用来记录雨量站每次降水情况。

D.14.2　表标识:TB_LS_YLZJSQK。

D.14.3　表编号:414。

D.14.4　表结构见表D.14.4。

表 D.14.4　雨量站降水量摘录表

字 段 名	标 识 符	类型及长度	有无空值	单位	主键	索引序号
监测点编码	JCDBM	C(13)	无		Y	1
降水次序	JSCX	N(3)			Y	2
降水起讫时间	JYQQSJ	VC(30)				
降水量	JSL	N(4,1)		mm		

D.14.5　监测点编码。见 D.2.5。

D.14.6　降水次序。指雨量站某次降水的编号。

D.14.7　降水起讫时间。指降水月、日及起讫时、分。

D.14.8　降水量。见 D.8.10。

D.15　径流站洪水水文要素摘录表

D.15.1　径流站洪水水文要素摘录表用来记录径流站每次洪水流
　　　　量、含沙量及输沙率等信息。

D.15.2　表标识:TB _ LS _ JLZHSYS。

D.15.3　表编号:415。

D.15.4　表结构见表 D.15.4。

表 D.15.4　径流站洪水水文要素摘录表

字 段 名	标 识 符	类型及长度	有无空值	单位	主键	索引序号
监测点编码	JCDBM	C(13)	无		Y	1
观测时间	GCSJ	T	无		Y	2
水位	SW	N(3,2)		m		
流量	LL	N(5,2)		m^3/s		
含沙量	HSHAL	N(5,2)		kg/m^3		
输沙率	SSHAL	N(5,2)		kg/s		

D.15.5　监测点编码。见 D.2.5。

D.15.6　观测时间。指观测的年、月、日、时、分。

D.15.7　水位。见 D.10.9。

D.15.8　流量。见 D.10.10。

D.15.9　含沙量。见 D.8.19。

D.15.10 输沙率。指单位时间内通过测验断面的干沙质量。

D.16 径流站逐日平均流量表

D.16.1 径流站逐日平均流量表用来记录径流站每日平均流量的情况。

D.16.2 表标识:TB _ LS _ JLZZRSLL。

D.16.3 表编号:416。

D.16.4 表结构见表 D.16.4。

表 D.16.4 径流站逐日平均流量表

字 段 名	标 识 符	类型及长度	有无空值	单位	主键	索引序号
监测点编码	JCDBM	C(13)	无		Y	1
观测日期	GCRQ	T	无		Y	2
日平均流量	RPJLL	N(6,2)		m^3/s		
备注	BZ	VC(500)				

D.16.5 监测点编码。见 D.2.5。

D.16.6 观测日期。见 D.11.6。

D.16.7 日平均流量。指一天(24h)内径流量的均值。

D.16.8 备注。对观测资料有明显影响的有关情况、参数、公式、水位流量关系、标准差等。

D.17 径流站月平均流量特征值表

D.17.1 径流站月平均流量特征值表用来记录径流站每月的流量特征值数据。

D.17.2 表标识:TB _ LS _ JLZYLLTZ。

D.17.3 表编号:417。

D.17.4 表结构见表 D.17.4。

表 D.17.4　径流站月平均流量特征值表

字 段 名	标识符	类型及长度	有无空值	单位	主键	索引序号
监测点编码	JCDBM	C(13)	无		Y	1
观测月份	GCYF	C(6)	无		Y	2
月平均流量	YPJLL	N(6,2)		m^3/s		
月最大流量	YZDLL	N(6,2)		m^3/s		
月最大流量日期	YZDLLRQ	T				
月最小流量	YZXLL	N(6,2)		m^3/s		
月最小流量日期	YZXLLRQ	T				
备注	BZ	VC(500)				

D.17.5　监测点编码。见 D.2.5。

D.17.6　观测月份。见 D.12.6。

D.17.7　月平均流量。指在水位－流量关系曲线上,月平均水位对应的流量。

D.17.8　月最大流量。指水位－流量关系曲线单一者,月最高水位推求的流量;或实测流量过程线上选取的最大流量。

D.17.9　月最大流量日期。指月最大流量对应的日期。

D.17.10　月最小流量。指水位－流量关系曲线单一者,月最低水位推求的流量;或实测流量过程线上选取的最小流量。

D.17.11　月最小流量日期。指月最小流量对应的日期。

D.17.12　备注。对观测资料有明显影响的有关情况、参数、公式、水位流量关系、标准差等。

D.18　径流站年平均流量特征值表

D.18.1　径流站年平均流量特征值表用来记录径流站每年的平均

流量特征值数据。

D.18.2 表标识:TB_LS_JLZNLLTZ。

D.18.3 表编号:418。

D.18.4 表结构见表 D.18.4。

表 D.18.4　径流站年平均流量特征值表

字　段　名	标识符	类型及长度	有无空值	单位	主键	索引序号
监测点编码	JCDBM	C(13)	无		Y	1
观测年份	GCNF	C(4)	无		Y	2
年最大流量	NZDLL	N(6,2)		m³/s		
年最大流量日期	NZDLLRQ	T				
年最小流量	NZXLL	N(6,2)		m³/s		
年最小流域日期	NXZLLRQ	T				
年平均流量	NPJLL	N(6,2)		m³/s		
年径流量	NJLL	N(13,2)		m³		
年径流模数	NJLMS	N(7,2)		m³/(km²·a)		
年径流深度	NJLSD	N(5,1)		mm		
备注	BZ	VC(500)				

D.18.5 监测点编码。见 D.2.5。

D.18.6 观测年份。见 D.13.6。

D.18.7 年最大流量。指从逐日平均流量表中挑选的年内最大流量。

D.18.8 年最大流量日期。指年最大流量对应的日期。

D.18.9 年最小流量。指从逐日平均流量表中挑选的年内最小流量。

D.18.10 年最小流量日期。指年最小流量对应的日期。

D.18.11 年平均流量。指各月平均流量年加权值。

D.18.12　年径流量。指年平均流量乘年日数,再乘以日秒数。

D.18.13　年径流模数。对应统计年单位集水面积的径流量。

D.18.14　年径流深度。年径流量除以集水面积,再除 1000。

D.18.15　备注。对流域资料有明显影响的有关情况、参数、公式、水位－流量关系、标准差等。

D.19　径流站逐日平均含沙量表

D.19.1　径流站逐日平均含沙量表用来记录径流站每日含沙量情况。

D.19.2　表标识:TB＿LS＿JLZZRHSL。

D.19.3　表编号:419。

D.19.4　表结构见表 D.19.4。

表 D.19.4　径流站逐日平均含沙量表

字 段 名	标 识 符	类型及长度	有无空值	单位	主键	索引序号
监测点编码	JCDBM	C(13)	无		Y	1
观测日期	GCRQ	T	无		Y	2
含沙量	HSHAL	N(5,2)		kg/m^3		
备注	BZ	VC(500)				

D.19.5　监测点编码。见 D.2.5。

D.19.6　观测日期。见 D.11.6。

D.19.7　含沙量。见 D.8.19。

D.19.8　备注。指对含沙量资料有明显影响的有关情况、公式、推沙方法、单断沙关系曲线标准差等说明。

D.20 径流站月平均含沙量特征值表

D.20.1　径流站月平均含沙量特征值表用来记录径流站每月含沙量特征值数据。

D.20.2　表标识:TB_LS_JLZYHSHAL。

D.20.3　表编号:420。

D.20.4　表结构见表 D.20.4。

表 D.20.4　径流站月平均含沙量特征值表

字 段 名	标识符	类型及长度	有无空值	单位	主键	索引序号
监测点编码	JCDBM	C(13)	无		Y	1
观测月份	GCYF	C(6)	无		Y	2
月平均含沙量	YPJHSHAL	N(5,2)		kg/m^3		
月最大含沙量	YZDHSHAL	N(5,2)		kg/m^3		
月最大含沙量日期	YZDHSHARQ	T				
月最小含沙量	YZXHSHAL	N(5,2)		kg/m^3		
月最小含沙量日期	YZXHSHARQ	T				
备注	BZ	VC(500)				

D.20.5　监测点编码。见 D.2.5。

D.20.6　观测月份。见 D.12.6。

D.20.7　月平均含沙量。指月平均输沙率除以该月平均流量得之。

D.20.8　月最大含沙量。指从有资料期间推算的各次断沙或从过程线上挑选的含沙量最大值。

D.20.9　月最大含沙量日期。指月最大含沙量对应的日期。

D.20.10　月最小含沙量。指从有资料期间推算的各次断沙,或从过程线上挑选的含沙量最小值。

D.20.11　月最小含沙量日期。指月最大含沙量对应的日期。

D.20.12 备注。指对含沙量资料有明显影响的有关情况、公式、推沙方法、单断沙关系曲线标准差等说明。

D.21 径流站年平均含沙量特征值表

D.21.1 径流站年平均含沙量特征值表用来记录径流站每年含沙量的特征值数据。

D.21.2 表标识:TB_LS_JLZNHSHAL。

D.21.3 表编号:421。

D.21.4 表结构见表 D.21.4。

表 D.21.4 径流站年平均含沙量特征值表

字 段 名	标 识 符	类型及长度	有无空值	单位	主键	索引序号
监测点编码	JCDBM	C(13)	无		Y	1
观测年份	GCNF	C(4)	无		Y	2
年平均流量	NPJLL	N(5,2)		m^3/s		
年平均输沙率	NPJSSHAL	N(5,2)		kg/s		
年平均含沙量	NPJHSHAL	N(5,2)		kg/m^3		
年最大断面平均含沙量	NZDDMHSL	N(5,2)		kg/m^3		
年最大断面平均含沙量日期	NZDDMRQ	T				
年最小断面平均含沙量	NZXDMHSL	N(5,2)		kg/m^3		
年最小断面平均含沙量日期	NZXDMRQ	T				
备注	BZ	VC(500)				

D.21.5 监测点编码。见 D.2.5。

D.21.6 观测年份。见 D.13.6。

D.21.7 年平均流量。见 D.18.11。

D.21.8 年平均输沙率。指各月平均输沙率年加权值。

D.21.9 年平均含沙量。指年平均输沙率除以年平均流量。

D.21.10 年最大断面平均含沙量。指从各次实测断沙或从过程线上挑选的最大值。

D.21.11 年最大断面平均含沙量日期。指与年最大断面含沙量对应的日期。

D.21.12 年最小断面平均含沙量。指从各次实测断沙或从过程线上挑选的最小值。

D.21.13 年最小断面平均含沙量日期。指与年最小断面含沙量对应的日期。

D.21.14 备注。指对沙量资料有明显影响的有关情况、公式、推沙方法、单断沙关系曲线标准差等说明。

D.22 径流站逐日平均悬移质输沙率表

D.22.1 径流站逐日平均悬移质输沙率表用来记录径流站每日悬移质输沙率情况。

D.22.2 表标识:TB _ LS _ JLZXYSSL。

D.22.3 表编号:422。

D.22.4 表结构见表 D.22.4。

表 D.22.4 径流站逐日平均悬移质输沙率表

字 段 名	标 识 符	类型及长度	有无空值	单位	主键	索引序号
监测点编码	JCDBM	C(13)	无		Y	1
观测日期	GCRQ	T	无		Y	2
输沙率	SSHAL	N(6,2)		kg/s		
备注	BZ	VC(500)				

D.22.5 监测点编码。见 D.2.5。

D.22.6 观测日期。见 D.11.6。

D.22.7 输沙率。见 D.15.10。

D.22.8 备注。测验和整编中有关影响成果精度方面的问题。

D.23 径流站月平均悬移质输沙率特征值表

D.23.1 径流站月平均悬移质特征值表用来记录径流站每月悬移质输沙率特征值数据。

D.23.2 表标识:TB _ LS _ JLZYXYZ。

D.23.3 表编号:423。

D.23.4 表结构见表 D.23.4。

表 D.23.4 径流站月平均悬移质输沙率特征值表

字 段 名	标 识 符	类型及长度	有无空值	单位	主键	索引序号
监测点编码	JCDBM	C(13)	无		Y	1
观测月份	GCYF	C(6)	无		Y	2
月平均输沙率	YPJSSHAL	N(6,2)		kg/s		
月最大输沙率	YZDSSHAL	N(6,2)		kg/s		
月最大输沙率日期	YZDSSLRQ	T				
备注	BZ	VC(500)				

D.23.5 监测点编码。见 D.2.5。

D.23.6 观测月份。见 D.12.6。

D.23.7 月平均输沙率。指该月日平均输沙率之和除以全月的天数。

D.23.8 月最大输沙率。指从月日平均输沙率中挑选的最大值。

D.23.9 月最大输沙率日期。指月最大输沙率出现的日期。

D.23.10 备注。测验和整编中有关影响成果精度方面的问题。

D.24 径流站年平均悬移质输沙率特征值表

D.24.1 径流站年平均悬移质特征值表用来记录径流站悬移质输沙率的年特征值数据。

D.24.2 表标识：TB _ LS _ JLZNXYZ。

D.24.3 表编号：424。

D.24.4 表结构见表 D.24.4。

表 D.24.4 径流站年平均悬移质输沙率特征值表

字 段 名	标识符	类型及长度	有无空值	单位	主键	索引序号
监测点编码	JCDBM	C(13)	无		Y	1
观测年份	GCNF	C(4)	无		Y	2
年最大日平均输沙率	NZDRPJSS	N(6,2)		kg/s		
年最大日平均输沙率日期	NZDRPJRQ	T				
年输沙量	NSSL	N(13,2)		t		
年平均输沙率	NPJSSHAL	N(6,2)		kg/s		
年输沙模数	NSSHAMS	N(7,2)		t/(km²·a)		
备注	BZ	VC(500)				

D.24.5 监测点编码。见 D.2.5。

D.24.6 观测年份。见 D.13.6。

D.24.7 年最大日平均输沙率。指从各月最大值中挑选的日平均输沙率。

D.24.8 年最大日平均输沙率日期。指年最大平均输沙率出现的日期。

D.24.9 年输沙量。指以年总数(年平均输沙率乘365)乘以日秒数(86400)。

D.24.10 年平均输沙率。见 D.21.8。

D.24.11 年输沙模数。指年输沙量除以集水面积。

D.24.12 备注。指测验和整编中有关影响成果精度方面的问题。

D.25 径流站实测流量成果表

D.25.1 径流站实测流量成果表用来记录径流站各次水位、流量、流速等情况。

D.25.2 表标识:TB＿LS＿JLZSCLL。

D.25.3 表编号:425。

D.25.4 表结构见表 D.25.4。

D.25.5 监测点编码。见 D.2.5。

D.25.6 施测号数。指施测测次的编号。

D.25.7 观测开始时间。进行监测记录的开始时间,计至分。

D.25.8 观测结束时间。进行监测记录的结束时间,计至分。

D.25.9 断面位置。指在基本水尺断面测流填"基",不在基本水尺断面测流者填与基本水尺相对的位置,填"基上(下)×××m"。

D.25.10 测验方法。指流速仪施测者填"流速仪"并注明型号。用水面浮标法施测者,可填"浮标"(或中泓浮标、小浮标、漂浮物)等字样,及其相应的浮标系数,后面以分数形式表示有效个数(分子)和浮标系数(分母),如"浮标10/0.85"。用体积法或者溶液法可填"量体积"、"溶液"、"接流桶"。

D.25.11 基本水尺水位。指测流时间内基本水尺的相应水位。

D.25.12 流量。见 D.10.10。

D.25.13 断面面积。指横断面的某一水位线与湿周所包围的面积。通常填水道(天然或人工)断面面积。

D.25.14 最大流速。指一次测流中各实测测点流速中的最大值。用流速仪法填最大点流速,用浮标法时填实测最大流速(即最大虚流速)。

表 D.25.4 径流站实测流量成果表

字 段 名	标 识 符	类型及长度	有无空值	单位	主键	索引序号
监测点编码	JCDBM	C(13)	无		Y	1
施测号数	SCHS	N(4)			Y	2
观测开始时间	GCKSSJ	T	无			
观测结束时间	GCJSSJ	T				
断面位置	DMWZ	VC(30)				
测验方法	CYFF	VC(50)				
基本水尺水位	JBSCSW	N(4,2)		m		
流量	LL	N(5,2)		m³/s		
断面面积	DMMJ	N(6,2)		m²		
最大流速	ZDLS	N(4,2)		m/s		
平均流速	PJLS	N(4,2)		m/s		
水面宽	SMK	N(4,1)		m		
平均水深	PJSS	N(3,1)		m		
最大水深	ZDSS	N(3,1)		m		
水面比降	SMBJ	N(3,1)				
糙率	ZL	N(4,2)				
测流段河流情况	CLDHLQK	VC(100)				

D.25.15 平均流速。指用断面流量除水道断面面积求得。

D.25.16 水面宽。指断面上两岸水边点之间水面的水平距离。通常指自由水面宽度。

D.25.17 平均水深。指某观测点不同时段水位的均值,通常填自由水面下的平均水深。

D.25.18 最大水深。指一定时段内,某观测点所出现的瞬时最高水位。比照平均水深的填法填记最大水深(或最大有效水深)。

D.25.19 水面比降。指沿水流方向,单位水平距离水面的高程差。由比降上下水尺的平均水位差除以两比降断面的间距求得。

D.25.20 糙率。指河槽边界的粗糙程度和几何特征等有关的各种影响水流阻力的一个综合系数,测有比降时,填计算的糙率,其他情况时填过水断面处实际采用的糙率。

D.25.21 测流段河流情况。填河道顺直、畅流、土质(或石质)等,以及水流异常情况(如漫滩、分流、死水、回流等)与冰情(如岸冰、封冻或冰坝等)。

D.26 径流站逐次洪水测验成果表

D.26.1 径流站逐次洪水测验成果表用来记录径流站每次洪水来时的测验成果包括洪水历时、输沙量、流量、含沙量等。

D.26.2 表标识:TB_LS_JLZHSCY。

D.26.3 表编号:426。

D.26.4 表结构见表 D.26.4。

D.26.5 监测点编码。见 D.2.5。

D.26.6 洪水编号。指洪水的编号。

D.26.7 测验时间。见 D.10.6。

D.26.8 降水量。见 D.8.10。

D.26.9 降水历时。见 D.8.9。

D.26.10 平均强度。指本场降水的平均强度。

D.26.11 洪水总量。指一次洪水的总量,不扣除基流。

D.26.12 涨水历时。指一次洪水过程中,从低水位至最高洪峰水位的间隔时间。

D.26.13 落水历时。指一次洪水过程中,从最高水位至随后的低水位的间隔时间。

D.26.14 洪水总历时。指涨水和落水历时之和。

D.26.15 洪水输沙量(t)。指洪水平均输沙率乘以洪水总历时。

D.26.16 洪水输沙量(m^3)。指洪水输沙量(t)除以泥沙平均容重。

D.26.17 最大流量。指出现在峰顶的最大瞬时流量。

表 D.26.4　径流站逐次洪水测验成果表

字 段 名	标 识 符	类型及长度	有无空值	单位	主键	索引序号
监测点编码	JCDBM	C(13)	无		Y	1
洪水编号	HSH	N(4)			Y	2
测验时间	CYSJ	T				
降水量	JSL	N(4,1)		mm		
降水历时	LS	N(5)		h·min		
平均强度	PJQD	N(3,1)		mm/h		
洪水总量	HSZL	N(9,1)		m^3		
涨水历时	ZSLS	N(5)		h·min		
落水历时	LSLS	N(5)		h·min		
洪水总历时	HSLS	N(5)		h·min		
洪水输沙量(t)	SSLT	N(9,2)		t		
洪水输沙量(m^3)	SSLF	N(9,2)		m^3		
最大流量	ZDLL	N(5,2)		m^3/s		
平均流量	PJLL	N(5,2)		m^3/s		
最大含沙量	ZDHSHAL	N(5,2)		kg/m^3		
平均含沙量	PJHSHAL	N(5,2)		kg/m^3		
单位面积径流量	DWMJJLL	N(8,2)		m^3/km^2		
径流系数	JLXS	N(4,2)		%		
单位面积输沙量(t)	DWMJSSLT	N(6,2)		t/km^2		
单位面积输沙量(m^3)	DWMJSSLF	N(6,2)		m^3/km^2		

D.26.18　平均流量。指洪水总量除以洪水总历时。

D.26.19　最大含沙量。指该次洪水出现的最大断面平均含沙量。

D.26.20　平均含沙量。指洪水输沙量(t)除以洪水总量。

D.26.21　单位面积径流量。指洪水总量除以流域面积。

D.26.22　径流系数。见 D.8.18。

D.26.23　单位面积输沙量。指洪水输沙量(吨)除以流域面积。

D.26.24　单位面积输沙量(m^3)。指洪水输沙量(m^3)除以流域面积。

D.27　风蚀监测(降水要素)记录表(定位插针法)

D.27.1　风蚀监测(降水要素)记录表(定位插针法)用来记录采用
定位插针法采集的监测点的降水要素、风力要素、植被状
况、风蚀量等数据。

D.27.2　表标识:TB _ LS _ JSYSDWCZ。

D.27.3　表编号:427。

D.27.4　表结构见表 D.27.4。

表 D.27.4　风蚀监测(降水要素)记录表(定位插针法)

字 段 名	标 识 符	类型及长度	有无空值	单位	主键	索引序号
监测点编码	JCDBM	C(13)	无		Y	1
观测开始时间	GCKSSJ	T	无		Y	2
观测结束时间	GCJSSJ	T	无			
前期降水日期	QQJSRQ	T				
前期降水量	QQJSL	N(4,1)		mm		
风速	FS	N(5,2)		m/s		
风向	FX	VC(20)				
前期插针上余量	QCZSYL	N(6,2)		cm		
后期插针上余量	HCZSYL	N(6,2)		cm		
植被覆盖度	ZBFGD	N(5,2)		%		
观测人	GCR	VC(10)				
填表人	TBR	VC(10)				
核查人	HCR	VC(10)				
备注	BZ	VC(100)				

D.27.5　监测点编码。见 D.2.5。

D.27.6　观测开始时间。见 D.25.7。

D.27.7　观测结束时间。见 D.25.8。

D.27.8　前期降水日期。本次观测前期最晚一次降水发生的日期,计至日。

D.27.9　前期降水量。本次观测前最晚一次降水量。

D.27.10　风速。风蚀过程的平均风速。

D.27.11　风向。侵蚀风的来向。

D.27.12　前期插针上余量。风蚀发生前插针的上部读数。

D.27.13　后期插针上余量。风蚀结束后插针的上部读数。

D.27.14　植被覆盖度。见 D.8.21。

D.27.15　备注。必要相关内容的注解、描述等。

D.28　风蚀监测(表层土壤含水量)记录表(定位插针法)

D.28.1　风蚀监测(表层土壤含水量)记录表(定位插针法)用来记录采用定位插针法采集的表层土壤含水量数据。

D.28.2　表标识:TB ＿ LS ＿ TRSLDWCZ。

D.28.3　表编号:428。

D.28.4　表结构见表 D.28.4。

表 D.28.4　风蚀监测 (表层土壤含水量) 记录表(定位插针法)

字 段 名	标 识 符	类型及长度	有无空值	单位	主键	索引序号
监测点编码	JCDBM	C(13)	无		Y	1
观测日期	GCRQ	T	无		Y	2
取样深度	QYSD	N(2)	无	cm	Y	3
含水量	HSL	N(4,2)		%		
植被覆盖度	ZBFGD	N(5,2)		%		

D.28.5　监测点编码。见 D.2.5。

D.28.6 观测日期。见 D.11.6。

D.28.7 取样深度。见 D.9.9。

D.28.8 含水量。见 D.9.10。

D.28.9 植被覆盖度。见 D.8.21。

D.29 风蚀监测(降水要素)记录表(降尘管法)

D.29.1 风蚀监测(降水要素)记录表(降尘管法)用来记录采用降尘管法采集的降水要素、风力要素、植被状况、风蚀量等数据。

D.29.2 表标识:TB_LS_JSYSJCG。

D.29.3 表编号:429。

D.29.4 表结构见表 D.29.4。

表 D.29.4 风蚀监测(降水要素)记录表(降尘管法)

字 段 名	标 识 符	类型及长度	有无空值	单位	主键	索引序号
监测点编码	JCDBM	C(13)	无		Y	1
观测开始时间	GCKSSJ	T	无		Y	2
观测结束时间	GCJSSJ	T	无			
前期降水日期	QQJSRQ	T				
前期降水量	QQJSL	N(4,1)		mm		
风速	FS	N(5,2)		m/s		
风向	FX	VC(20)				
植被覆盖度	ZBFGD	N(5,2)		%		
观测前沙尘量	QJSL	N(5,2)		kg		
观测后沙尘量	HJSL	N(5,2)		kg		
降沙量	JSHAL	N(5,2)		kg		
异常现象	YCXX	VC(60)				
观测人	GCR	VC(10)				
填表人	TBR	VC(10)				
核查人	HCR	VC(10)				
备注	BZ	VC(100)				

D.29.5 监测点编码。见 D.2.5。

D.29.6 观测开始时间。见 D.25.7。

D.29.7 观测结束时间。见 D.25.8。

D.29.8 前期降水日期。见 D.27.8。

D.29.9 前期降水量。见 D.27.9。

D.29.10 风速。见 D.27.10。

D.29.11 风向。见 D.27.11。

D.29.12 植被覆盖度。见 D.8.21。

D.29.13 观测前沙尘量。风蚀开始时降尘管中沙尘重量。

D.29.14 观测后沙尘量。风蚀结束后降尘管中的沙尘重量。

D.29.15 降沙量。观测后沙尘量与观测前沙尘量之差。

D.29.16 异常现象。监测过程中出现的不正常现象。

D.29.17 备注。必要相关内容的注解、描述等。

D.30 风蚀监测(表层土壤含水量)记录表(降尘管法)

D.30.1 风蚀监测(表层土壤含水量)记录表(降尘管法)用来记录采用降尘管法采集的表层土壤含水量数据。

D.30.2 表标识:TB＿LS＿TRSLJCG。

D.30.3 表编号:430。

D.30.4 表结构见表 D.30.4。

表 D.30.4 风蚀监测(表层土壤含水量)记录表(降尘管法)

字 段 名	标识符	类型及长度	有无空值	单位	主键	索引序号
监测点编码	JCDBM	C(13)	无		Y	1
观测日期	GCRQ	T	无		Y	2
取样深度	QYSD	N(2)	无	cm	Y	3
含水量	HSL	N(4,2)		%		
植被覆盖度	ZBFGD	N(5,2)		%		

D.30.5 监测点编码。见 D.2.5。

D.30.6 观测日期。见 D.11.6。

D.30.7 取样深度。见 D.9.9。

D.30.8 含水量。见 D.28.8。

D.30.9 植被覆盖度。见 D.8.21。

D.31 冻融侵蚀监测记录表(降水要素,气温,冻融侵蚀要素)

D.31.1 冻融侵蚀监测记录表(降水要素、气温、冻融侵蚀要素)用来记录降水要素、气温、冻融侵蚀要素等数据。

D.31.2 表标识:TB_LS_DRQSQTYS。

D.31.3 表编号:431。

D.31.4 表结构见表 D.31.4。

D.31.5 监测点编码。见 D.2.5。

D.31.6 观测开始时间。见 D.25.7。

D.31.7 观测结束时间。见 D.25.8。

D.31.8 前期降水日期。见 D.27.8。

D.31.9 前期降水量。见 D.27.9。

D.31.10 观测期降水历时。冻融侵蚀观测期的降水历时。

D.31.11 观测期降水量。观测过程中的降水总量。

D.31.12 大气温度。指观测期间的日平均气温。

D.31.13 观测前冻土位移。冻融侵蚀观测前冻土发生的偏移。

D.31.14 观测期冻土位移。观测期间冻土发生的偏移距离。

D.31.15 冻土厚度。见 B.5.31。

D.31.16 冻结日期。观测层冻土冻结的日期,计至日。

D.31.17 解冻日期。观测层冻土解冻日期,计至日。

D.31.18 异常现象。监测过程中出现的不正常现象。

D.31.19 备注。必要相关内容的注解、描述等。

表 D.31.4　冻融侵蚀监测记录表(降水要素,气温,冻融侵蚀要素)

字 段 名	标 识 符	类型及长度	有无空值	单位	主键	索引序号
监测点编码	JCDBM	C(13)	无		Y	1
观测开始时间	GCKSSJ	T	无		Y	2
观测结束时间	GCJSSJ	T				
前期降水日期	QQJSRQ	T				
前期降水量	QQJSL	N(4,1)		mm		
观测期降水历时	GCQJSLS	N(4,2)		h·min		
观测期降水量	GCQJSL	N(4,1)		mm		
大气温度	DQWD	N(4,2)		℃		
观测前冻土位移	GC＿QQDTWY	N(5,2)		cm		
观测期冻土位移	GC＿QDTWY	N(5,2)		cm		
冻土厚度	DTSD	N(5,2)		cm		
冻结日期	DJRQ	T				
解冻日期	JDRQ	T				
观测人	GCR	VC(10)				
填表人	TBR	VC(10)				
核查人	HCR	VC(10)				
异常现象	YCXX	VC(60)				
备注	BZ	VC(60)				

D.32　冻融侵蚀监测记录表(土层温度与容重要素)

D.32.1　冻融侵蚀监测记录表(土层温度与容重要素)用来记录土层温度与容重要素等数据。

D.32.2　表标识:TB＿LS＿DRQSTRYS。

D.32.3　表编号:432。

D.32.4　表结构见表 D.32.4。

表 D.32.4　冻融侵蚀监测记录表(土层温度与容重要素)

字 段 名	标 识 符	类型及长度	有无空值	单位	主键	索引序号
监测点编码	JCDBM	C(13)	无		Y	1
观测日期	GCRQ	T	无		Y	2
土层深度代码	BTSD	N(2)	无	cm	Y	3
地温	DW	N(4,2)		℃		
容重	RZ	N(6,2)		kg/m³		

D.32.5　监测点编码。见 D.2.5。

D.32.6　观测日期。见 D.11.6。

D.32.7　土层深度代码。土壤温度测量的土层深度代码,土层深度范围及其标识代码见表 D.32.7。

表 D.32.7　土层深度范围及其标识代码表

土层深度范围	代码	土层深度范围	代码
0～10cm	01	60～80cm	05
10～20cm	02	80～100cm	06
20～40cm	03	＞100cm	07
40～60cm	04		

D.32.8　地温。对应土层深度的地温。

D.32.9　容重。测量深度土壤的容重。

D.33　滑坡监测记录表(降水要素,地下水位)

D.33.1　滑坡监测记录表(降水要素、地下水位)用来记录滑坡监测过程中的降水要素、地下水位等数据。

D.33.2　表标识:TB＿LS＿HPJSYS。

D.33.3　表编号:433。

D.33.4 表结构见表 D.33.4。

表 D.33.4 滑坡监测记录表(降水要素,地下水位)

字 段 名	标 识 符	类型及长度	有无空值	单位	主键	索引序号
监测点编码	JCDBM	C(13)	无		Y	1
观测开始时间	GCKSSJ	T	无		Y	2
观测结束时间	GCJSSJ	T				
滑坡编号	HPBH	C(2)	无		Y	3
前期降水日期	QQJSRQ	T				
前期降水量	QQJSL	N(4,1)		mm		
观测前地下水位	GC_QQDXSW	N(5,2)		m		
观测期地下水位	GC_QDXSW	N(5,2)		m		
观测期降水量	GCQJSL	N(4,1)		mm		
观测人	GCR	VC(10)				
填表人	TBR	VC(10)				
核查人	HCR	VC(10)				

D.33.5 监测点编码。见 D.2.5。

D.33.6 观测开始时间。见 D.25.7。

D.33.7 观测结束时间。见 D.25.8。

D.33.8 滑坡编号。滑坡监测的统一编号,从 01 开始。

D.33.9 前期降水日期。见 D.27.8。

D.33.10 前期降水量。见 D.27.9。

D.33.11 观测前地下水位。滑坡观测前的地下水位。

D.33.12 观测期地下水位。滑坡观测过程中的平均地下水位。

D.33.13 观测期降水量。见 D.31.11。

D.34 滑坡监测记录表(滑坡体位移)

D.34.1 滑坡监测记录表(滑坡体位移)用来记录滑坡体位移等数据。

D.34.2 表标识:TB _ LS _ HPTWY。

D.34.3 表编号:434。

D.34.4 表结构见表 D.34.4。

表 D.34.4 滑坡监测记录表(滑坡体位移)

字 段 名	标 识 符	类型及长度	有无空值	单位	主键	索引序号
监测点编码	JCDBM	C(13)	无		Y	1
观测日期	GCRQ	T	无		Y	2
桩编号	ZBH	VC(20)	无		Y	3
滑坡编号	HPBH	C(2)	无		Y	4
观测前桩的位置	GC _ QQZW	N(3,1)		mm		
观测期桩的位置	GC _ QZW	N(3,1)		mm		

D.34.5 监测点编码。见 D.2.5。

D.34.6 观测日期。见 D.11.6。

D.34.7 桩编号。进行滑坡观测的统一桩号。

D.34.8 滑坡编号。见 D.33.8。

D.34.9 观测前桩的位置。滑坡发生前观测桩的位置。

D.34.10 观测期桩的位置。滑坡观测期间观测桩的位置。

D.35 逐次泥石流监测记录表(降水要素)

D.35.1 逐次泥石流监测记录表(降水要素)用来记录泥石流监测过程中降水要素数据。

D.35.2 表标识：TB＿LS＿NSLJSYS。

D.35.3 表编号：435。

D.35.4 表结构见表 D.35.4。

表 D.35.4 逐次泥石流监测记录表（降水要素）

字 段 名	标 识 符	类型及长度	有无空值	单位	主键	索引序号
监测点编码	JCDBM	C(13)	无		Y	1
观测开始时间	GCKSSJ	T	无		Y	2
观测结束时间	GCJSSJ	T	无			
泥石流编号	NSLBH	C(2)	无		Y	3
前期降水日期	QQJSRQ	T				
前期降水量	QQJSL	N(4,1)		mm		
观测期降水量	GCQJSL	N(4,1)		mm		
观测人	GCR	VC(10)				
填表人	TBR	VC(10)				
核查人	HCR	VC(10)				
异常现象	YCXX	VC(60)				
备注	BZ	VC(60)				

D.35.5 监测点编码。见 D.2.5。

D.35.6 观测开始时间。见 D.25.7。

D.35.7 观测结束时间。见 D.25.8。

D.35.8 泥石流编号。泥石流监测的统一编码。

D.35.9 前期降水日期。见 D.27.8。

D.35.10 前期降水量。见 D.27.9。

D.35.11 观测期降水量。见 D.31.11。

D.35.12 异常现象。监测过程中出现的不正常现象。

D.35.13 备注。必要相关内容的注解、描述等。

D.36 逐次泥石流监测记录表(泥石流要素)

D.36.1 逐次泥石流监测记录表(泥石流要素)用来记录泥石流监测过程中的泥石流要素数据。

D.36.2 表标识:TB _ LS _ NSLYS。

D.36.3 表编号:436。

D.36.4 表结构见表 D.36.4。

表 D.36.4 逐次泥石流监测记录表(泥石流要素)

字 段 名	标识符	类型及长度	有无空值	单位	主键	索引序号
监测点编码	JCDBM	C(13)	无		Y	1
观测开始时间	GCKSSJ	T	无		Y	2
观测结束时间	GCJSSJ	T	无			
观测断面编号	GCDMBH	C(4)	无		Y	3
泥石流编号	NSLBH	C(2)	无		Y	4
泥深	NSLNS	N(6,2)		cm		
流态	NSLLT	VC(20)				
泥面宽度	NMKD	N(7,2)		cm		
容重	RZ	N(7,2)		g/cm^3		
流速	NSLLS	N(5,2)		m/s		
沟床纵比降	GCZBJ	N(4,2)		%		
流动压力	LDYL	N(7,2)		N/cm^2		
冲击力	CJL	N(9,2)		N		
泥石流流量	NSLLL	N(7,2)		L/s		
泥石流径流量	NSLJLL	N(8,2)		m^3		
输沙量	SSL	N(8,2)		t		

D.36.5 监测点编码。见 D.2.5。

D.36.6 观测开始时间。见 D.25.7。

D.36.7 观察结束时间。见 D.25.8。

D.36.8 观测断面编号。进行泥石流监测的各断面的统一编码。

D.36.9 泥深。观测断面的最大泥深。

D.36.10 流态。泥石流流动形态的描述。

D.36.11 泥面宽度。泥石流泥面平均宽度。

D.36.12 容重。泥石流的湿容重。

D.36.13 流速。泥石流运动的速度。

D.36.14 沟床纵比降。泥石流发生沟道的河床纵比降。

D.36.15 流动压力。泥石流运动过程中断面上受到的压力。

D.36.16 冲击力。泥石流运动过程中泥流冲击力的大小。

D.36.17 泥石流流量。单位时间泥石流发生的体积量。

D.36.18 泥石流径流量。泥石流发生的总体积。

D.36.19 输沙量。泥石流搬运物质的总量,包括土壤、成土母质和岩石等,不包括生物量和水量。

D.37 土壤性质监测记录表

D.37.1 土壤性质监测记录表用来记录黄河流域监测点的土壤性质监测记录,如土壤质地、容重、密度、孔隙率、含水率和有机质等。

D.37.2 表标识:TB _ LS _ TRXZJC。

D.37.3 表编号:437。

D.37.4 表结构见表 D.37.4。

D.37.5 监测点编码。见 D.2.5。

D.37.6 土壤类型编码。见 B.2.5。

D.37.7 监测时间。见 G.1.9。

D.37.8 土质。见 D.3.7。

D.37.9 容重。土壤容重。按照国家水土保持试验规范 SD239—1987 土壤理化分析测定。

D.37.10 密度。土壤密度。按照国家水土保持试验规范 SD239—

1987 土壤理化分析测定中的土壤比重测定方法测定。

表 D.37.4　土壤性质监测记录表

字 段 名	标 识 符	类型及长度	有无空值	单位	主键	索引序号
监测点编码	JCDBM	C(13)	无		Y	1
土壤类型编码	TRLXBM	C(3)	无		Y	2
监测时间	JCSJ	T	无		Y	3
土质	TUZHI	VC(20)				
容重	RZ	N(5,2)		g/cm³		
密度	TRXZ_MD	N(5,2)		g/cm³		
孔隙率	KXL	N(5,2)		%		
含水率	TRXZ_HSL	N(5,2)		%		
土壤有机质含量	YJZ	N(5,2)		g/kg		
土壤氮含量	TRXZ_N	N(5,2)		mg/kg		
土壤磷含量	TRXZ_P	N(5,2)		mg/kg		
土壤钾含量	TRXZ_K	N(5,2)		mg/kg		
pH 值	pH	N(5,2)				
机械组成	JXZC	VC(30)				
抗蚀性	KSX	N(5,2)		%		
渗透率	STL	N(5,2)		mm/min		

D.37.11　孔隙率。土壤孔隙度。按照国家水土保持试验规范 SD239—1987 土壤理化分析测定。

D.37.12　含水率。土壤含水量。按照国家水土保持试验规范 SD239—1987 土壤理化分析测定。

D.37.13　土壤有机质含量。土壤有机质的含量。按照国家水土保持试验规范 SD239—1987 土壤理化分析测定。

D.37.14　土壤氮含量。土壤氮素的含量。按照国家水土保持试验规范 SD239—1987 土壤理化分析测定。

D.37.15　土壤磷含量。土壤磷素的含量。按照国家水土保持试验规范 SD239—1987 土壤理化分析测定。

D.37.16　土壤钾含量。土壤钾素的含量。按照国家水土保持试
　　　　　验规范 SD239—1987 土壤理化分析测定。

D.37.17　pH 值。土壤的酸碱度。按照国家水土保持试验规范
　　　　　SD239—1987 土壤理化分析测定。

D.37.18　机械组成。指土壤各粒级所占百分比,不能计算。

D.37.19　抗蚀性。土壤对侵蚀营力的抵抗力,即土壤对侵蚀的易
　　　　　损性或敏感性的倒数。

D.37.20　渗透率。自由水面水分进入土体的速率。按照国家水土
　　　　　保持试验规范 SD239—1987 第 11 章土壤理化分析测定。

D.38　水文泥沙情况表

D.38.1　水文泥沙情况表用来记录各水文站的水文泥沙情况。

D.38.2　表标识:TB _ LS _ SWNSQK。

D.38.3　表编号:438。

D.38.4　表结构见表 D.38.4。

表 D.38.4　水文泥沙情况

字 段 名	标 识 符	类型及长度	有无空值	单位	主键	索引序号
水文站编码	SWZBM	C(9)	无		Y	1
统计年份	TJNF	C(4)	无		Y	2
年降水量	NJSL	N(5,1)		mm		
年径流量	NJLL	N(13,2)		m^3		
年输沙量	NSSL	N(13,2)		t		
年径流模数	NJLMS	N(7,2)		$m^3/(km^2 \cdot a)$		
年输沙模数	NSSHAMS	N(7,2)		$t/(km^2 \cdot a)$		

D.38.5 水文站编码。见 D.1.5。

D.38.6 统计年份。见 B.1.5。

D.38.7 降水量。见 D.13.7。

D.38.8 径流量。见 D.18.12。

D.38.9 输沙量。见 D.24.9。

D.38.10 年径流模数。见 D.18.13。

D.38.11 年输沙模数。见 D.24.11。

D.39 水库泥沙淤积情况表

D.39.1 水库泥沙淤积情况表用来记录水库泥沙淤积情况。

D.39.2 表标识:TB_LS_HDSKNSYJ。

D.39.3 表编号:439。

D.39.4 表结构见表 D.39.4。

表 D.39.4 水库泥沙淤积情况表

字 段 名	标 识 符	类型及 长度	有无 空值	单位	主键	索引 序号
水库编码	HDSKBM	VC(11)	无		Y	1
河流名称	HLMC	VC(60)				
上游集水面积	SYJSMJ	N(7,2)		km²		
调查日期	DCRQ	T				
淤积量	YJL	N(7,2)		万 m³		
危害情况	WHQK	VC(60)				
备注	BZ	VC(60)				

D.39.5 水库编码。按照《黄河水利工程基础信息代码编制规定》
(SZHH07—2003)统一编排的水库编码。

D.39.6 河流名称。水库所在的河流名称。

D.39.7 上游集水面积。水库上游控制区的土地面积。

D.39.8 调查日期。表示调查的年、月份。

D.39.9 淤积量。水库泥沙沉积的数量。

D.39.10 危害情况。泥沙淤积对河床、河势、行洪和水库库容等的不良影响。

D.39.11 备注。必要相关内容的注解、描述等。

D.40 土壤侵蚀强度分级面积表

D.40.1 土壤侵蚀强度分级面积表用来记录黄河流域各种空间尺度下各种侵蚀强度的面积分布情况。

D.40.2 表标识:TB_LS_TRQSQDFJ。

D.40.3 表编号:440。

D.40.4 表结构见表 D.40.4。

表 D.40.4 水土流失面积统计表

字 段 名	标 识 符	类型及长度	有无空值	单位	主键	索引序号
统计年份	TJNF	VC(4)	无		Y	1
空间尺度	KJCD	C(2)	无		Y	2
具体区域编码	BM	VC(12)	无		Y	3
微度侵蚀	WDMJ	N(9,2)		km²		
轻度侵蚀	QDMJ	N(9,2)		km²		
中度侵蚀	ZDMJ	N(9,2)		km²		
强度侵蚀	QIANGDMJ	N(9,2)		km²		
极强度侵蚀	JQDMJ	N(9,2)		km²		
剧烈侵蚀	JLMJ	N(9,2)		km²		

D.40.5 统计年份。见 B.1.5。

D.40.6 空间尺度。见 A.15.5。

D.40.7 具体区域编码。见 A.15.6。

D.40.8 微度侵蚀。平均土壤侵蚀模数低于 $1000t/(km^2 \cdot a)$ 的水力侵蚀面积。

D.40.9 轻度侵蚀。平均土壤侵蚀模数在 $1000 \sim 2500t/(km^2 \cdot a)$ 的水力侵蚀面积。

D.40.10 中度侵蚀。平均土壤侵蚀模数在 $2500 \sim 5000t/(km^2 \cdot a)$ 的水力侵蚀面积。

D.40.11 强度侵蚀。平均土壤侵蚀模数在 $5000 \sim 8000t/(km^2 \cdot a)$ 的水力侵蚀面积。

D.40.12 极强度侵蚀。平均土壤侵蚀模数在 $8000 \sim 15000t/(km^2 \cdot a)$ 的水力侵蚀面积。

D.40.13 剧烈侵蚀。平均土壤侵蚀模数大于 $15000t/(km^2 \cdot a)$ 的水力侵蚀面积。

附录 E 预防监督信息类数据表表结构

E.1 水土保持预防监督情况表

E.1.1 水土保持预防监督情况表用来记录水土保持预防监督情况信息。

E.1.2 表标识：TB_JD_SBJDQK。

E.1.3 表编号：501。

E.1.4 表结构见表 E.1.4。

表 E.1.4 水土保持预防监督情况表

字 段 名	标 识 符	类型及长度	有无空值	单位	主键	索引序号
行政区编码	XZQBM	C(6)	无		Y	1
填报时间	TBSJ	T	无		Y	2
应建监督机构数	JDJG_YINGJ	N(5)		个		
已建监督机构数	JDJG_YIJ	N(5)		个		
专职监督人员数	JDRY_ZZ	N(6)		人		
兼职监督人员数	JDRY_JZ	N(6)		人		
管护员数	JDRY_GHY	N(6)		人		
监督人员小计	JDRY_XJ	N(6)		人		
持证监督人员数	JDRY_CZRY	N(6)		人		
培训上岗人员数	JDRY_PXSG	N(6)		人		
应建监测机构数	JCJG_YINGJ	N(5)		个		
已建监测机构数	JCJG_YIJ	N(5)		个		
监测技术人员数	JCRY_JSRY	N(6)		人		
监测行政人员数	JCRY_XZRY	N(6)		人		
监测工人数	JCRY_GR	N(6)		人		

续表 E.1.4

字 段 名	标 识 符	类型及长度	有无空值	单位	主键	索引序号
监测人员小计	JCRY_XJ	N(6)		人		
实施办法数量	FG_SSBF	N(5)		个		
收费规定数量	FG_SFGD	N(5)		个		
技术规范数量	FG_JSZLCS_GF	N(5)		个		
管理制度数量	FG_GLZD	N(5)		个		
其他规范性文件数量	FG_ZLCS_GFWJ	N(5)		个		
应报水土保持方案	FASP_YBFA	N(5)		项		
实报水土保持方案	FASP_SBFA	N(5)		项		
审批水土保持方案	FASP_SPFA	N(5)		项		
实施水土保持方案	FASP_SSFA	N(5)		项		
征收防治费	SFFK_FZF	N(7,2)		万元		
征收补偿费	SFFK_BCF	N(7,2)		万元		
征收罚款	SFFK_FK	N(7,2)		万元		
两费总支出	SFFK_ZC	N(7,2)		万元		
违法案件个数	CCAJ_WFAJ	N(5)		件		
查处案件个数	CCAJ_CCAJ	N(5)		件		
法院执行个数	CCAJ_FYZX	N(5)		件		
返还治理投资	FHZL_TZ	N(5,2)		万元		
返还治理数量	FHZL_SL	N(5)		个		
返还治理面积	FHZL_ZLMJ	N(5)		km^2		
"三同时"示范区数量	SFQ_SL	N(5)		个		
"三同时"示范区治理面积	SFQ_ZLMJ	N(5)		km^2		
"三同时"示范区投资	SFQ_TZ	N(5,2)		万元		

E.1.5 行政区编码。见 A.1.5。

E.1.6 应建监督机构数。根据《中华人民共和国水土保持法》规定建立的包括流域机构在内的各级水行政主管部门或水土保持部门所属的具有水土保持监督职能的专门机构的数目。

E.1.7 已建监督机构数。已经建立的各级具有水土保持监督职能的专门机构的数目。

E.1.8　专职监督人员数。由政府人事编制委员会确定的、专门从事辖区内水土保持预防监督管理工作的专业人员的数目。

E.1.9　兼职监督人员数。参与或者聘请的从事一定授权范围内水土保持预防监督管理部分工作的人员数目。

E.1.10　管护员数。一般都是兼职监督人员,对一定辖区内水土资源和水土保持设施进行保护和管理的监督人员数目。

E.1.11　持证监督人员数。行使水土保持预防监督行政公务时,持有相关证件(包括行政执法证、监督检查证、收费许可证等)的监督人员数目。

E.1.12　培训上岗人员数。经过县级以上水土保持预防监督执法培训后上岗行使或参与辖区内水土保持预防监督工作的所有专职、兼职监督人员和管护员数目。

E.1.13　应建监测机构数。根据《中华人民共和国水土保持法》规定建立的包括流域机构在内的各级水行政主管部门或水土保持部门所属的具有水土保持监测职能的专门机构的数目。

E.1.14　已建监测机构数。已经建立的各级具有水土保持监测职能的专门机构的数目。

E.1.15　监测技术人员数。在各级水土保持监测专门机构里专门从事水土保持监测业务技术的人员数目。

E.1.16　监测行政人员数。在各级水土保持监测专门机构里从事水土保持监测行政管理工作的人员数目。

E.1.17　监测工人数。在各级水土保持监测专门机构里专门从事水土保持监测操作任务的工作人员数目。

E.1.18　实施办法数量。与《中华人民共和国水土保持法》配套的各级水土保持法地方实施法规或实施细则、实施办法的法律性文件数目。一般由各级人民代表大会或人民政府颁发。

E.1.19　收费规定数量。有关水土流失防治费、水土保持补偿费和水土保持行政罚款等内容的地方各级水土保持规费征收和使用的管理规定或制度的数目,一般由各级人大或政府颁布或者由同级别的财政、物价、水利等政府部门联合发布。

E.1.20 技术规范数量。指规范化建设法规及技术规范的数量。

E.1.21 管理制度数量。地方配套的、具有法律意义的水土保持预防监督的行政管理依据文件的数目,包括行政执法、行政执法程序管理和与水土保持密切相关的预防保护、监督执法、方案编报审批、年检、案件查处等管理制度。

E.1.22 其他规范性文件数量。与水土保持和水土保持预防监督管理工作相关的其他行业或本行业内部的相关管理文件数目的总和。

E.1.23 应报水土保持方案。按照水土保持法律法规要求,需要有关开发建设、生产建设的公民、法人和其他组织向相应级别的水行政主管部门或水土保持监督管理机构申报的水土保持方案的数目总和。

E.1.24 实报水土保持方案。有关开发建设、生产建设的公民、法人和其他组织向相应级别的水行政主管部门或水土保持监督管理机构实际申报的水土保持方案的数目总和。

E.1.25 审批水土保持方案。由各级水行政主管部门或水土保持监督管理机构对有关开发建设、生产建设的公民、法人和其他组织申报的水土保持方案进行审批的数目。

E.1.26 实施水土保持方案。有关开发建设、生产建设的公民、法人和其他组织根据相应级别的水行政主管部门或水土保持监督管理机构已经审批通过的水土保持方案进行水土流失防治建设和落实水土保持设施的项目的个数。

E.1.27 征收防治费。对造成水土流失而无力治理或不治理的企事业单位或个人征收其在建设和生产过程中对水土流失采取防治措施所需的费用。

E.1.28 征收补偿费。对企事业单位和个人,在开发、生产建设过程中损坏了原有的水土保持设施和具有一定保持水土功能的地貌、植被,从而降低或减弱其原有的水土保持功能,所必须为此补偿的费用。

E.1.29 征收罚款。对违反《中华人民共和国水土保持法》的违法者进行水土保持行政处罚的款额。

E.1.30 两费总支出。征收或收缴的水土保持规费的支出数目。

E.1.31 违法案件个数。一定辖区内,企事业单位和个人,在开发和生产建设过程中违反《中华人民共和国水土保持法》造成水土流失或损坏了原有的水土保持设施的案件的总和数。

E.1.32 查处案件个数。各级水行政主管部门及其水土保持监督管理机构对违法案件进行查处的行政办案数目。

E.1.33 法院执行个数。各级水行政主管部门及其水土保持监督管理机构在查处违法案件时,通过法院协助或执行的案件数目。

E.1.34 返还治理投资。规范化建设返还治理的投资金额。

E.1.35 返还治理数量。规范化建设返还治理的案例件数。

E.1.36 返还治理面积。规范化建设返还治理的面积。

E.1.37 "三同时"示范区数量。指开发建设项目主体工程与水土保持工程设施依法同时设计、同时实施、同时投产使用的示范区的数量。

E.2 水土保持预防保护情况表

E.2.1 水土保持预防保护情况表用来记录的水土保持预防保护信息。

E.2.2 表标识: TB _ JD _ SBYFBHQK。

E.2.3 表编号: 502。

E.2.4 表结构见表 E.2.4。

表 E.2.4 水土保持预防保护情况表

字 段 名	标 识 符	类型及长度	有无空值	单位	主键	索引序号
统计年份	TJNF	C(4)	无		Y	1
空间尺度 1	KJCD1	C(2)	无		Y	2
具体区域编码 1	BM1	VC(12)	无		Y	3
空间尺度 2	KJCD2	C(2)	无		Y	4
具体区域编码 2	BM2	VC(12)	无		Y	5
预防保护区范围	BHQFW	VC(20)				
计划保护面积	JHBHMJ	N(8,2)		km²		
完成保护面积	WCBHMJ	N(8,2)		km²		
主要保护措施	ZYBHCS	VC(200)				
备注	BZ	VC(100)				

E.2.5 统计年份。见 B.1.5。

E.2.6 空间尺度 1。见 B.1.6。

E.2.7 具体区域编码 1。见 B.1.7。

E.2.8 空间尺度 2。见 B.1.8。

E.2.9 具体区域编码 2。见 B.1.9。

E.2.10 预防保护区范围。预防保护区的地理范围。

E.2.11 计划保护面积。预防保护区计划采取保护措施的面积。

E.2.12 完成保护面积。预防保护区实际完成的保护区面积。

E.2.13 主要保护措施。预防保护区主要采取的保护措施。

E.2.14 备注。必要相关内容的注解、描述等。

E.3 城市水土保持概况表

E.3.1 城市水土保持概况表用来记录各省(区)级水土保持试点城市单位的城市水土保持机构概况信息。

E.3.2 表标识：TB _ JD _ CSSBQK。

E.3.3 表编号：503。

E.3.4 表结构见表 E.3.4。

表 E.3.4 城市水土保持概况表

字 段 名	标 识 符	类型及长度	有无空值	单位	主键	索引序号
城市编码	CSBM	C(6)	无		Y	1
开始时间	KSSJ	T	无		Y	2
验收时间	YSSJ	T				
称号授予时间	CHSYSJ	T				
称号授予机构	CHSYJG	VC(30)				
市级水土保持领导协调机构	LDXTJG	VC(200)				
规章和规范性文件	GZZLCS _ GFWJ	VC(400)				
水土保持宣传	SBXC	VC(200)				
城市水土保持规划	CSSBGH	VC(100)				
应报水土保持方案	YBSBFA	N(4)		个		
实报水土保持方案	SBSBFA	N(4)		个		
应征水土保持补偿费	YZSBBCF	N(7,2)		万元		
实征水土保持补偿费	SZSBBCF	N(7,2)		万元		
水土流失控制率	STLSKZL	N(4,1)		%		
城市周边开山、取石、挖沙管理	CSZBGL	VC(300)				
城市降水蓄滞能力	CSJYXZNL	VC(400)				
森林覆盖率	SLFGL	N(4,1)		%		
人均占有公共绿地面积	RJZYLD	N(3,1)		km^2		
城市水系绿化率	CSSXLHL	N(4,1)		%		
档案资料管理	DAZLGL	VC(400)				

E.3.5 城市编码。指城市的行政区划编码，参见 A.1.5。

E.3.6 开始时间。指水土保持工程的开始时间，计至月份。

E.3.7 验收时间。指水土保持工程的验收时间,计至日。

E.3.8 称号授予时间。指授予"水土保持示范城市"称号的时间。

E.3.9 称号授予机构。指授予"水土保持示范城市"称号的机构。

E.3.10 市级水土保持领导协调机构。指为开展城市水土保持工作专门成立的领导机构情况,包括机构名称、人员组成和成立文号等。

E.3.11 规章和规范性文件。指与正式颁布的与开展城市水土保持工作相关的规章制度和规范性文件,包括文件名称、颁布文号等。

E.3.12 水土保持宣传。指在城市内建立的水土保持固定宣传牌的数量及其他宣传形式与数量等。

E.3.13 城市水土保持规划。包括规划的名称及审批情况(文号)。

E.3.14 应报水土保持方案。见 E.1.23。

E.3.15 实报水土保持方案。见 E.1.24。

E.3.16 应征水土保持补偿费。指示范期间城市范围内水行政主管部门依法应征收的水土保持补偿费。

E.3.17 实征水土保持补偿费。指示范期间城市范围内水行政主管部门实际征收的水土保持补偿费。

E.3.18 水土流失控制率。指示范期末城市水土流失面积占土地总面积的比例。

E.3.19 城市周边开山、取石、挖沙管理。指对为开山、取石、挖沙情况采取的管理措施及监管效果情况。

E.3.20 城市降水蓄滞能力。指设计暴雨情况下城市积水情况,包括市区综合径流系数等。

E.3.21 森林覆盖率。指在单位土地面积内,森林所占水平面积的数量。森林面积通常以树冠在地面上的垂直投影面积计算。

E.3.22 人均占有公共绿地面积。指市区人均占有公共绿地的面积。

E.3.23 城市水系绿化率。指城市内水系绿化长度与水系长度之比。

E.3.24 档案资料管理。指与城市水土保持工作有关的档案资料的管理情况,包括档案分类、名称、归档地点、管理制度等。

E.4 开发建设项目水土保持方案审批情况统计表

E.4.1 开发建设项目水土保持方案审批情况统计表用来记录开发建设项目的水土保持方案的审批信息。

E.4.2 表标识：TB _ JD _ KFXMFASP。

E.4.3 表编号：504。

E.4.4 表结构见表 E.4.4。

表 E.4.4 开发建设项目水土保持方案审批情况统计表

字 段 名	标 识 符	类型及长度	有无空值	单位	主键	索引序号
水土保持方案编码	FABM	C(8)	无		Y	1
水土保持方案名称	FAMC	VC(40)	无			
方案总投资	FAZTZ	N(7,2)		万元		
责任范围面积	FZZRFW	N(11,2)		km²		
编制单位	BZDW	VC(30)				
预审时间	YUSSJ	T				
批复时间	PFSJ	T				
建设地点	JSDD	VC(40)				
行业类别	HYLB	VC(30)				

E.4.5 水土保持方案编码。遵守 SZHH12—2004 的规定。

E.4.6 方案总投资。经审批的开发建设项目水土保持方案总投资。

E.4.7 责任范围面积。指开发建设项目水土流失的防治责任范围。

E.4.8 编制单位。水土保持方案的编制单位名称。

E.4.9 预审时间。水土保持方案预审的时间。

E.4.10 批复时间。水行政主管部门批复的时间。

E.4.11 建设地点。工程所在省、市、县。见 A.1.5。

E.4.12 行业类别。开发建设项目所属的行业。

E.5 开发建设项目水土保持方案工程特性表

E.5.1 开发建设项目水土保持方案特性表用来记录开发建设项目的水土保持方案信息。

E.5.2 表标识：TB_JD_KFXMFATX。

E.5.3 表编号：505。

E.5.4 表结构见表 E.5.4。

表 E.5.4 开发建设项目水土保持方案特性表

字 段 名	标 识 符	类型及长度	有无空值	单位	主键	索引序号
水土保持方案编码	FABM	C(8)	无		Y	1
水土保持方案名称	FAMC	VC(40)	无			
建设地点	JSDD	C(6)	无			
工程等级	GCDJ	VC(20)				
工程所在流域	SZLY	VC(80)				
工程总投资	GCZTZ	N(7,2)		万元		
工程总工期	GCZGQ	VC(30)				
责任范围面积	FZZRFW	N(11,2)		km^2		
建设单位	JSDW	VC(400)				
损坏水土保持设施面积	SHSBSSMJ	N(10,2)		km^2		
项目建设区	XMJSQ	VC(200)				
扰动地表面积	RDDBMJ	N(10,2)		km^2		
直接影响区	ZJYXQ	VC(200)				
水土流失预测总量	LSZL	N(7,2)		t		
减少水土流失总量	JSSTZL	N(7,2)		t		
扰动土地治理率	RDTDZLL	N(5,2)		%		
控制率	KZL	N(5,2)		%		

字 段 名	标 识 符	类型及长度	有无空值	单位	主键	索引序号
地貌类型	DMLX	VC(40)				
省级水土流失分区公告	GG	VC(200)				
水土保持措施防治面积	FZMJ	N(10,2)		km²		
治理度	ZLD	N(4,2)		%		
主要防治措施及工程量	FZCS	VC(200)				
水土流失背景值	STLSBJZ	N(10,2)		t/(km²·a)		
方案目标值	FAMBZ	N(10,2)		t/(km²·a)		
项目区允许值	YXZ	N(10,2)		t/(km²·a)		
控制比	KZB	N(5,2)		%		
弃渣场及取料场工程	QZCQLCGC	VC(100)				
拦渣率	LZL	N(5,2)		%		
可绿化面积	KLHMJ	N(10,2)		hm²		
植物措施面积	ZWCSMJ	N(10,2)		hm²		
植被恢复系数	ZBHFXS	N(5,2)		%		
植被覆盖度	ZBFGD	N(5,2)		%		
水土保持总投资	SBZTZ	N(7,2)		万元		
主体工程已列投资	YLTZ	N(7,2)		万元		
本方案新增投资	XZTZ	N(7,2)		万元		
防治费	FZF	N(7,2)		万元		
补偿费	BCF	N(7,2)		万元		
监测费	JCF	N(7,2)		万元		
监理费	JLF	N(7,2)		万元		
其他费用	QTFY	N(7,2)		万元		
方案实施期	FASSQ	VC(30)				

E.5.5 水土保持方案编码。见 E.4.5。

E.5.6 建设地点。工程所在省、市、县。见 A.1.5。

E.5.7 工程等级。填写主体工程的等级。

E.5.8 工程所在流域。工程所在的支流名称。

E.5.9 工程总投资。开发建设项目的投资金额。单位为万元,计至小数点后两位。

E.5.10 工程总工期。开发建设项目实施的持续时间。格式为 × 年 × 月至 × 年 × 月。

E.5.11 责任范围面积。见 E.4.7。

E.5.12 建设单位。指工程项目建设单位的情况,包括建设单位名称、负责人姓名、负责人单位、职务、电话、本项目专职人员数量等情况。

E.5.13 项目建设区。项目征地租地和土地使用管辖范围。

E.5.14 扰动地表面积。项目建设区 + 直接影响区(含公路路面、水库水面、永久建筑物等面积)。

E.5.15 直接影响区。项目建设区以外,因开发建设活动而造成水土流失及其直接危害的范围。

E.5.16 水土流失预测总量。责任范围内若不采取水土保持措施时,可能造成的水土流失总量(含背景值)。

E.5.17 减少水土流失总量。责任范围内采取水土保持措施后,减少的水土流失总量。

E.5.18 扰动土地治理率。水土保持措施防治面积、永久建筑物面积和水面面积之和与扰动地表面积之比。

E.5.19 控制率。减少水土流失总量与水土流失预测总量的百分比。

E.5.20 地貌类型。项目区的地形地貌类型、气候类型、植被类型。

E.5.21 省级水土流失分区公告。按公告的水土流失重点治理区、重点监督区、重点预防保护区填写。

E.5.22 水土保持措施防治面积。水土保持工程措施面积(含工程自身占地面积和护坡工程面积)+水土保持植物措施面积(含不得重复计算的复耕和场地平整面积),不含永久建筑物及水面面积。

E.5.23 治理度。指某一区域内,治理面积占原有水土流失面积的百分比。

E.5.24 主要防治措施及工程量。水土保持工程措施和水土保持植物措施的主要类型及其工程量。

E.5.25 水土流失背景值。项目区的土壤侵蚀模数。

E.5.26 方案目标值。经治理后项目区达到的土壤侵蚀模数。

E.5.27 项目区允许值。该地貌类型区允许的土壤侵蚀模数。

E.5.28 控制比。方案目标值与项目区允许值的百分比。

E.5.29 弃渣场及取料场工程。渣场和料场座数、占地面积、取料量和弃渣量、采用的水土保持措施及其工程量。

E.5.30 拦渣率。实际拦渣量与总弃渣量的百分比。

E.5.31 可绿化面积。责任范围面积减去永久建筑物面积,再减去水面后可以采取植物措施的面积。

E.5.32 植物措施面积。林草植物措施总面积。

E.5.33 植被恢复系数。植物措施面积与可绿化面积的百分比。

E.5.34 植被覆盖度。见 D.8.21。

E.5.35 水土保持总投资。指主体工程已列水土保持投资加本方案新增的投资之和。

E.5.36 主体工程已列投资。水土保持投资中主体工程已列的、主要功能为水土保持的工程的投资。

E.5.37 本方案新增投资。水土保持投资中本方案新增的投资之和。

E.5.38 防治费。方案新增投资中的防治费用。

E.5.39 补偿费。方案新增投资中的补偿费用。

E.5.40 监测费。方案新增投资中的监测费用。

E.5.41 监理费。方案新增投资中的监理费用。

E.5.42 其他费用。方案新增投资中的其他费用。

E.5.43 方案实施期。方案实施的周期,格式为×年×月至×年×月。

E.6 开发建设项目水土保持方案验收表

E.6.1 开发建设项目水土保持方案验收表用来记录开发建设项目的水土保持方案的验收过程信息。

E.6.2 表标识: TB _ JD _ KFXMFAYS。

E.6.3 表编号: 506。

E.6.4 表结构见表 E.6.4。

表 E.6.4 开发建设项目水土保持方案验收表

字 段 名	标 识 符	类型及长度	有无空值	单位	主键	索引序号
水土保持方案编码	FABM	C(8)	无		Y	1
工程验收阶段	GCYSJD	VC(20)				
工程验收主持单位	GCYSZCDW	VC(20)				
工程验收参加单位	GCYSCJDW	VC(100)				
验收时间	YSSJ	T				
技术评估意见	JSPGYJ	VC(4000)				
主要验收意见	YSYJ	VC(4000)				
备注	BZ	VC(30)				

E.6.5 水土保持方案编码。见 E.4.5。

E.6.6 工程验收阶段。开发建设项目水土保持方案验收的不同阶段,包括阶段验收、初步验收、竣工验收等。

E.6.7 工程验收主持单位。主持开发建设项目水土保持方案验收的单位。

E.6.8 工程验收参加单位。参加开发建设项目水土保持方案验收的单位。

E.6.9　验收时间。见 E.3.7。

E.6.10　技术评估意见。竣工验收前由水土保持生态咨询机构对水土保持方案提出的技术评估报告。

E.6.11　主要验收意见。验收单位和参加验收单位对该方案的验收结论。

E.6.12　备注。必要相关内容的注解、描述等。

E.7　巡测数据表

E.7.1　巡测数据表用来记录巡测过程中产生的信息。

E.7.2　表标识：TB_JD_XCJL。

E.7.3　表编号：507。

E.7.4　表结构见表 E.7.4。

表 E.7.4　巡测数据表

字 段 名	标识符	类型及长度	有无空值	单位	主键	索引序号
巡测记录编号	XCBH	C(7)	无		Y	1
巡测人名	XCR	VC(20)				
巡测时间	XCSJ	T				
巡测路线	XCLX	VC(30)				
巡测目的	XCMD	VC(30)				
巡测情况	XCQK	VC(100)				
巡测报告	XCBG	B				

E.7.5　巡测记录编号。巡测部门统一编排的巡测记录编号。

E.7.6　巡测人名。实施巡测的主要技术人员姓名。

E.7.7　巡测时间。实施巡测的时间，格式为×年×月×日至×年×月×日。

E.7.8 巡测路线。实施巡测的路线。

E.7.9 巡测目的。实施巡测的目的。

E.7.10 巡测情况。实施巡测的基本情况。

E.7.11 巡测报告。实施巡测后提交的报告。

E.8 水土保持法规体系建设情况统计表

E.8.1 水土保持法规体系建设情况统计表用来记录黄河流域县级以上(含县级)水土保持法规及技术标准建设情况。

E.8.2 表标识：TB _ JD _ STBCFGTX。

E.8.3 表编号：508。

E.8.4 表结构见表 E.8.4。

表 E.8.4 水土保持法规体系建设情况统计表

字 段 名	标 识 符	类型及长度	有无空值	单位	主键	索引序号
法规标准名称	FGBZMC	VC(100)	无		Y	1
法规标准文号(编号)	FGBZWH	VC(30)				
颁布单位	BBDW	VC(30)				
颁布时间	BBSJ	T				
行政区编码	XZQBM	C(6)				

E.8.5 法规标准名称。颁布的法规标准的名称。

E.8.6 法规标准文号(编号)。颁布的法律法规和规章制度的文号或技术标准编号。

E.8.7 颁布单位。颁布法规标准的机构名称。

E.8.8 颁布时间。颁布法规标准的时间。

E.8.9 行政区编码。见 A.1.5。

附录 F 综合治理信息类数据表表结构

F.1 水土保持综合治理措施统计表

F.1.1 水土保持综合治理措施统计表用来记录黄河流域内各种空间尺度下的水土流失综合治理措施统计信息。

F.1.2 表标识:TB _ ZL _ LSZLCS。

F.1.3 表编号:601。

F.1.4 表结构见表 F.1.4。

表 F.1.4 水土保持综合治理措施统计表

字 段 名	标 识 符	类型及长度	有无空值	单 位	主键	索引序号
统计年份	TJNF	C(4)	无		Y	1
空间尺度 1	KJCD1	C(2)	无		Y	2
具体区域编码 1	BM1	VC(12)	无		Y	3
空间尺度 2	KJCD2	C(2)	无		Y	4
具体区域编码 2	BM2	VC(12)	无		Y	5
土地总面积	TDMJ _ ZMJ	N(8,2)		km^2		
水土流失面积	STLSMJ	N(7,2)		km^2		
治理面积	ZLCS _ ZLMJ	N(8,2)		km^2		
治理度	ZLD	N(4,2)		%		
梯田	ZLCS _ TT	N(11,2)		hm^2		
水浇地	ZLCS _ SD	N(11,2)		hm^2		
保土耕作	ZLCS _ BTGZ	N(11,2)		hm^2		
乔木林	ZLCS _ QML	N(11,2)		hm^2		
灌木林	ZLCS _ GML	N(11,2)		hm^2		

字 段 名	标 识 符	类型及长度	有无空值	单 位	主键	索引序号
经济林	ZLCS _ JJL	N(11,2)		hm^2		
果园	ZLCS _ GY	N(11,2)		hm^2		
苗圃	ZLCS _ MP	N(11,2)		hm^2		
人工种草	ZLCS _ RGZC	N(11,2)		hm^2		
封禁治理	ZLCS _ FJZL	N(11,2)		hm^2		
坝地	ZLCS _ BD	N(11,2)		hm^2		
沟头防护	ZLCS _ GTFH	N(6)		处		
谷坊	ZLCS _ GF	N(6)		座		
骨干坝	ZLCS _ DXYDB	N(6)		座		
中型坝	ZLCS _ ZXYDB	N(6)		座		
小型坝	ZLCS _ XXYDB	N(6)		座		
淤地坝合计	ZLCS _ YDB	N(6)		座		
截水沟	ZLCS _ JSG	N(8)		m		
排水沟	ZLCS _ PSG	N(8)		m		
沉沙池	ZLCS _ CSD	N(6)		个		
蓄水池	ZLCS _ XSC	N(6)		个		
水窖	ZLCS _ SJ	N(6)		眼		
塘坝	ZLCS _ TB	N(5)		座		
引洪漫地	ZLCS _ YHMD	N(11,2)		hm^2		
人字闸	ZLCS _ RZZ	N(6)		座		
沙障固沙	ZLCS _ SZGS	N(6)		hm^2		
防风防沙林带	ZLCS _ FFFSLD	N(8)		m		
固沙草带	ZLCS _ GSCD	N(8)		m		
引水拉沙造地	ZLCS _ YSLSZD	N(11,2)		hm^2		
道路	ZLCS _ DL	N(6)		km		
其他水保措施	QTSBCS	V(50)				

F.1.5 统计年份。见 B.1.5。

F.1.6 空间尺度 1。见 B.1.6。

F.1.7　具体区域编码1。见 B.1.7。

F.1.8　空间尺度2。见 B.1.8。

F.1.9　具体区域编码2。见 B.1.9。

F.1.10　土地总面积。行政区土地总面积。

F.1.11　水土流失面积。指土壤侵蚀强度为轻度和轻度以上的土地面积,亦称为土壤侵蚀面积。

F.1.12　治理面积。有治理措施的面积。

F.1.13　治理度。见 E.5.23。

F.1.14　梯田。指在坡地上沿等高线修建的、断面呈阶梯状的田块,按其断面形式可分为水平梯田、坡式梯田、隔坡梯田。

F.1.15　水浇地。指有灌溉条件的农耕地。

F.1.16　保土耕作。指在遭受水蚀和风蚀的农田中,采用改变微地形,增加地面覆盖和土壤抗蚀力,实现保水、保土、保肥、改良土壤、提高作物产量的一种农业技术方法。

F.1.17　乔木林。见 B.4.19

F.1.18　灌木林。见 B.4.20。

F.1.19　果园。指利用果实的林木,主要为栽植水果的果园面积。

F.1.20　经济林。指利用林木的果实、叶片、皮层、树液等林产品供人食用,或作为工业原料,或作为药材等主要目的而培育和经营的人工林或改造的天然林。

F.1.21　苗圃。指根据造林需要,选育种苗的基地。

F.1.22　人工种草。见 B.4.23。

F.1.23　封禁治理。指对稀疏植被采取封禁管理,利用自然修复能力,辅以人工补植和抚育,促进植被恢复,以控制水土流失,改善生态环境的一种水土保持措施。

F.1.24　坝地。指在沟道拦蓄工程上游因泥沙淤积形成的地面较平整的可耕作土地。

F.1.25　沟头防护。指在侵蚀沟道源头修建的防止沟道溯源侵蚀的水土保持工程设施。

F.1.26　谷坊。指横筑于易受侵蚀的小沟道或小溪中的小型固沟、拦泥、滞洪建筑物,高度在 5m 以下。按不同建筑材料分为石谷坊、土谷坊、梢枝谷坊、插柳谷坊、竹笼谷坊等。

F.1.27　骨干坝。大型淤地坝的个数。遵守 SZHH12—2004 的规定。

F.1.28　中型坝。中型淤地坝的个数。遵守 SZHH12—2004 的规定。

F.1.29　小型坝。小型淤地坝的个数。遵守 SZHH12—2004 的规定。

F.1.30　淤地坝合计。淤地坝的总个数。

F.1.31　截水沟。指在坡地上沿等高线修筑的拦截坡面径流的工程。单位为道,计至整数位。

F.1.32　排水沟。指在坡地上沿等高线修筑的疏导坡面径流,具有一定比降的沟槽工程。

F.1.33　沉沙池。指用于沉淀泥沙和清除水流中杂物的建筑物,单位为个,计至整数位。

F.1.34　蓄水池。指在地面挖坑或在洼地四周筑埂修建的小型蓄水设施,蓄水量一般在 $1000m^3$ 以下。

F.1.35　水窖。指在地下挖筑成井状的,用于积蓄地表径流,解决人畜用水、农田灌溉的一种水土保持工程设施。

F.1.36　塘坝。指在溪沟内筑坝,或利用地势低洼处拦蓄地表径流、山泉溪水的小型蓄水设施。

F.1.37　引洪漫地。指应用导流设施把高含沙洪水漫淤到耕地或低洼地、河滩地上,以保持水土、改良土壤、提高地力、发展农业生产的一项措施。

F.1.38　人字闸。指在沟道修建镶嵌式人字形坝体,主要用于拦蓄非汛期河(沟)道径流,发展灌溉的工程设施。

F.1.39 沙障固沙。指为控制风沙流、减轻风力侵蚀而设置的挡沙障碍物。

F.1.40 防风防沙林带。指为控制风沙流、减轻风力侵蚀而栽植的林带。

F.1.41 固沙草带。指为防治风沙灾害,改造利用沙地、改善生态环境而设置的草带。

F.1.42 引水拉沙造地。指在风沙地区,利用水流能量冲蚀沙丘形成高含沙水流,输送泥沙淤填洼地,将起伏不平的沙地改造成平整农田,以降低风蚀危害,改良土壤,开发利用沙丘土地的工程措施。

F.1.43 道路。指修建的农用路。

F.1.44 其他水保措施。其他水土保持措施的情况。

F.2 水土保持工程措施统计表

F.2.1 水土保持工程措施统计表用来记录黄河流域按年统计的水土保持工程的统计信息。

F.2.2 表标识:TB _ ZL _ STBCGCXZ。

F.2.3 表编号:602。

F.2.4 表结构见表 F.2.4。

表 F.2.4　水土保持工程措施统计表

字 段 名	标 识 符	类型及长度	有无空值	单 位	主键	索引序号
统计年份	TJNF	C(4)	无		Y	1
空间尺度 1	KJCD1	C(2)	无		Y	2
具体区域编码 1	BM1	VC(12)	无		Y	3
空间尺度 2	KJCD2	C(2)	无		Y	4

字 段 名	标 识 符	类型及长度	有无空值	单 位	主键	索引序号
具体区域编码 2	BM2	VC(12)	无		Y	5
大型水库	SK_DX	N(7)		座		
中型水库	SK_ZX	N(7)		座		
小型水库	SK_XX	N(7)		座		
水库控制面积	SK_KZMJ	N(9,2)		km²		
水库总库容	SK_ZKR	N(10,2)		万 m³		
水库淤积库容	SK_YJKR	N(10,2)		万 m³		
骨干坝座数	GGGC_ZS	N(5)		座		
骨干坝控制面积	GGGC_KZMJ	N(10,2)		km²		
骨干坝总库容	GGGC_ZKR	N(10,2)		万 m³		
骨干坝已淤积库容	GGGC_YYJKR	N(10,2)		万 m³		
淤地坝座数	YDB_ZS	N(6)		座		
淤地坝总库容	YDB_ZKR	N(10,2)		万 m³		
淤地坝已淤面积	YDB_YYMJ	N(10,2)		hm²		
淤地坝已拦泥	YDB_YLN	N(10,2)		万 m³		
谷坊	ZLCS_GF	N(8)		道		
水窖	ZLCS_SJ	N(8)		眼		
塘坝	ZLCS_TB	N(8)		座		
沟头防护	ZLCS_GTFH	N(8)		处		
其他水保工程	QTSBGC	N(8)		座(处)		

F.2.5 统计年份。见 B.1.5。

F.2.6 空间尺度 1。见 B.1.6。

F.2.7 具体区域编码 1。见 B.1.7。

F.2.8 空间尺度 2。见 B.1.8。

F.2.9 具体区域编码 2。见 B.1.9。

F.2.10 大型水库。指库容大于 1 亿 m³ 以上的水库座数。

F.2.11 中型水库。指库容 0.1 亿 m³ 至 1 亿 m³ 之间的水库座数。

F.2.12 小型水库。指库容 10 万 m³ 至 1000 万 m³ 之间的水库座数。

F.2.13 水库控制面积。指单个水库控制面积之和。

F.2.14 水库总库容。指单个水库库容之和。

F.2.15 水库淤积库容。指单个水库已淤库容之和。

F.2.16 骨干坝控制面积。指骨干坝总控制面积。

F.2.17 骨干坝总库容。指单个骨干坝库容之和。

F.2.18 骨干坝已淤积库容。指单个骨干坝已淤库容之和。

F.2.19 淤地坝总库容。指单个淤地坝库容之和。

F.2.20 淤地坝已淤面积。指单个淤地坝淤地面积之和。

F.2.21 淤地坝已拦泥。指单个淤地坝已拦泥之和。

F.2.22 谷坊。见 F.1.26。

F.2.23 水窖。见 F.1.35。

F.2.24 塘坝。见 F.1.36。

F.2.25 沟头防护。见 F.1.25。

F.2.26 其他水保工程。其他水土保持工程的数量。

F.3 水土保持生态工程项目基本信息表

F.3.1 水土保持生态工程项目基本信息表用来记录水土保持生态工程的工程名称等信息。

F.3.2 表标识:TB_ZL_SBGCJBXX。

F.3.3 表编号:603。

F.3.4 表结构见表 F.3.4。

F.3.5 水土保持生态工程项目编码。遵守 SZHH12—2004 的规定。

表 F.3.4　水土保持生态工程项目基本信息表

字 段 名	标 识 符	类型及长度	有无空值	单 位	主键	索引序号
水土保持生态工程项目编码	SBSTXMBM	C(12)	无		Y	1
水土保持生态工程项目名称	SBSTXMMC	VC(40)	无			
项目简介	XXSM	B				

F.3.6　水土保持生态工程项目名称。水土保持生态工程具体的项目名称。

F.3.7　项目简介。工程项目的详细说明。

F.4　水土保持生态工程项目统计表

F.4.1　水土保持生态工程项目统计表用来记录各地区的水土保持生态工程项目投资建设情况。

F.4.2　表标识：TB ＿ ZL ＿ SBGCXMTJ。

F.4.3　表编号：604。

F.4.4　表结构见表 F.4.4。

F.4.5　统计年份。见 B.1.5。

F.4.6　空间尺度 1。见 B.1.6。

F.4.7　具体区域编码 1。见 B.1.6。

F.4.8　空间尺度 2。见 B.1.8。

F.4.9　具体区域编码 2。见 B.1.9。

F.4.10　水土保持生态工程项目编码。见 F.3.5。

F.4.11　水土保持生态工程项目名称。见 F.3.6。

F.4.12　审批单位。指项目审批单位。

表 F.4.4　水土保持生态工程项目统计表

字　段　名	标 识 符	类型及长度	有无空值	单　位	主键	索引序号
统计年份	TJNF	C(4)	无		Y	1
空间尺度 1	KJCD1	C(2)	无		Y	2
具体区域编码 1	BM1	VC(12)	无		Y	3
空间尺度 2	KJCD2	C(2)	无		Y	4
具体区域编码 2	BM2	VC(12)	无		Y	5
水土保持生态工程项目编码	SBSTXMBM	C(12)	无		Y	4
水土保持生态工程项目名称	SBSTXMMC	VC(40)	无			
审批单位	SPDW	VC(40)				
投资下达渠道	TZXDQD	VC(40)				
中央投资	ZYTZ	N(9,2)		万元		
地方投资	DFTZ	N(9,2)		万元		
群众投资	QZTZ	N(9,2)		万元		
建设期	JSQ	VC(20)				
建设规模	JSGM	VC(400)				
建设内容	JSNR	VC(400)				
年度资金到位情况	ZJDW _ ND	N(9,2)		万元		
累计资金到位情况	ZJDW _ LJ	N(9,2)		万元		
年度完成情况	WCQK _ ND	VC(400)				
累计完成情况	WCQK _ LJ	VC(400)				
备注	BZ	VC(100)				

F.4.13　投资下达渠道。指项目资金来源。

F.4.14　中央投资。指国家投资。

F.4.15　地方投资。指项目区地方各级政府匹配投资。

F.4.16　群众投资。指项目区群众投工投劳折算及投资总额。

F.4.17　建设期。指项目建设的起止时间。

F.4.18　建设规模。项目建设规模,包括工程总面积、建设内容和工程量等。

F.4.19　建设内容。指项目建设的主要内容,包括整地、修淤地坝、造林、人工种草和封育等。

F.4.20　年度资金到位情况。上报年度到位的投资金额。

F.4.21　累计资金到位情况。自项目开始起累计投资金额。

F.4.22　年度完成情况。上报年度工程完成情况。

F.4.23　累计完成情况。工程项目累计完成情况。

F.4.24　备注。必要相关内容的注解、描述等。

F.5　水土保持生态工程项目前期工作情况表

F.5.1　水土保持生态工程项目前期工作情况表用来记录项目前期规划、可研、设计等信息。

F.5.2　表标识:TB _ ZL _ GCXMQQ。

F.5.3　表编号:605。

F.5.4　表结构见表 F.5.4。

F.5.5　水土保持生态工程项目编码。见 F.3.5。

F.5.6　前期工作阶段。指项目建议书、可行性研究、初步设计三个阶段中的一个。

F.5.7　申报单位。申报单位名称。

F.5.8　设计单位名称。承担项目设计的单位全称。

F.5.9　设计单位资质。国家认定的设计单位的行业资质。

F.5.10　审批单位。见 F.4.12。

F.5.11　审批时间。审批通过的时间,计至日。

F.5.12　审批文号。国家发布的文号。

表 F.5.4　水土保持生态工程项目前期工作情况表

字　段　名	标　识　符	类型及长度	有无空值	单　位	主键	索引序号
水土保持生态工程项目编码	SBSTXMBM	C(12)	无		Y	1
水土保持生态工程项目名称	SBSTXMMC	VC(40)	无		Y	2
前期工作阶段	QQJD	VC(20)	无		Y	3
申报单位	SBDW	VC(30)				
设计单位名称	SJDW _ MC	VC(20)				
设计单位资质	SJDW _ ZZ	VC(20)				
审批单位	SPDW	VC(30)				
审批时间	SPSJ	T				
审批文号	SPWH	VC(20)				
中央投资	ZYTZ	N(7,2)		万元		
地方投资	DFTZ	N(7,2)		万元		
群众投资	QZTZ	N(7,2)		万元		
项目总投资	XMZTZ	N(8,2)		万元		
建设规模	JSGM	VC(400)				
建设期	JSQ	VC(20)				
备注	BZ	VC(40)				

F.5.13　中央投资。见 F.4.14。

F.5.14　地方投资。见 F.4.15。

F.5.15　群众投资。见 F.4.16。

F.5.16　项目总投资。审批的工程总投资金额,包括中央投资、地方政府投资和农民投资的资金和劳力投入。

F.5.17　建设规模。见 F.4.18。

F.5.18　建设期。见 F.4.17。

F.5.19　备注。见 F.4.24。

F.6 水土保持生态工程项目技术经济指标表

F.6.1 水土保持生态工程项目技术经济指标表用来记录水土保持生态工程项目的各项技术经济指标。

F.6.2 表标识:TB _ ZL _ XMJJZB。

F.6.3 表编号:606。

F.6.4 表结构见表 F.6.4。

表 F.6.4 水土保持生态工程项目技术经济指标表

字 段 名	标 识 符	类型及长度	有无空值	单 位	主键	索引序号
水土保持生态工程项目编码	SBSTXMBM	C(12)	无		Y	1
水土保持生态工程项目名称	SBSTXMMC	VC(40)	无		Y	2
建设地点	JSDD	VC(40)				
建设期限	JSQX	VC(40)				
项目区面积	XMQMJ	N(7,2)		km²		
项目区人口	XMQRK	N(9,2)		万人		
农业人口数	NYRK	N(9,2)		万人		
多年平均降水量	PJJYL	N(5,1)		mm		
实测最大 24h 降水量	JYLMAX	N(4,1)		mm		
多年平均大风日数	DNPJDFRS	N(3)		d		
多年平均气温	PJQW	N(3,1)		℃		
森林覆盖率	SLFGL	N(4,2)		%		
水土流失面积	STLSMJ	N(7,2)		km²		

续表 F.6.4

字 段 名	标 识 符	类型及长度	有无空值	单 位	主键	索引序号
土壤侵蚀模数	TRQSMS	N(7,2)		t/(km²·a)		
治理度(占总面积)	ZLD1	N(4,2)		%		
治理度	ZLD	N(4,2)		%		
10 年一遇降水量工程防御暴雨标准	FYBYBZ10	N(5,1)		mm		
20 年一遇降水量工程防御暴雨标准	FYBYBZ20	N(5,1)		mm		
造林保存率	ZLCHL	N(4,2)		%		
治理面积合计	ZLMJ	N(8,2)		km²		
梯田	ZLCS_TT	N(11,2)		hm²		
水浇地	ZLCS_SD	N(11,2)		hm²		
保土耕作	ZLCS_BTGZ	N(11,2)		hm²		
乔木林	ZLCS_QML	N(11,2)		hm²		
灌木林	ZLCS_GML	N(11,2)		hm²		
经济林	ZLCS_JJL	N(11,2)		hm²		
果园	ZLCS_GY	N(11,2)		hm²		
苗圃	ZLCS_MP	N(11,2)		hm²		
人工种草	ZLCS_RGZC	N(11,2)		hm²		
封禁治理	ZLCS_FJZL	N(11,2)		hm²		
坝地	ZLCS_BD	N(11,2)		hm²		
沟头防护	ZLCS_GTFH	N(6)		处		
谷坊	ZLCS_GF	N(6)		座		
骨干坝	ZLCS_DXYDB	N(6)		座		
中型坝	ZLCS_ZXYDB	N(6)		座		
小型坝	ZLCS_XXYDB	N(6)		座		
淤地坝合计	ZLCS_YDB	N(6)		座		

字 段 名	标 识 符	类型及长度	有无空值	单 位	主键	索引序号
截水沟	ZLCS _ JSG	N(8)		m		
排水沟	ZLCS _ PSG	N(8)		m		
沉沙池	ZLCS _ CSD	N(6)		个		
蓄水池	ZLCS _ XSC	N(6)		个		
水窖	ZLCS _ SJ	N(6)		眼		
塘坝	ZLCS _ TB	N(5)		座		
引洪漫地	ZLCS _ YHMD	N(11,2)		hm^2		
人字闸	ZLCS _ RZZ	N(6)		座		
沙障固沙	ZLCS _ SZGS	N(6)		hm^2		
防风防沙林带	ZLCS _ FFFSLD	N(8)		m		
固沙草带	ZLCS _ GSCD	N(8)		m		
引水拉沙造地	ZLCS _ YSLSZD	N(11,2)		hm^2		
道路	ZLCS _ DL	N(6)		km		
其他水保措施	QTSBCS	V(50)				
土方	TF	N(11,2)		万 m^3		
石方	SF	N(11,2)		万 m^3		
混凝土量	HNT	N(11,2)		m^3		
水泥量	SN	N(9,2)		t		
钢材量	GC	N(7,2)		t		
油料量	YOUL	N(7,2)		t		
炸药量	ZY	N(7,2)		t		
树苗数	SM	N(7,2)		万株		
种籽量	ZZ	N(7,2)		t		
总用工日	ZYGR	N(7,2)		万工日		
年均用工日	NJYGR	N(7,2)		万工日		
年劳均出工日	NLJCGR	N(7,2)		工日		
机械施工量	JXSGL	N(9,2)		台班		
年均机械用量	NJJXYL	N(7,2)		台班		

续表 F.6.4

字 段 名	标 识 符	类型及长度	有无空值	单 位	主键	索引序号
中央投资	ZYTZ	N(7,2)		万元		
地方投资	DFTZ	N(7,2)		万元		
群众投资	QZTZ	N(7,2)		万元		
年拦泥沙能力	NLNSNL	N(7,2)		万 t		
年蓄水量	NXSL	N(7,2)		万 t		
植被覆盖度	ZBFGD	N(5,2)		%		
经济效益	JJXY	N(7,2)		万元		
效益费用比	XYFYB	N(4,2)				
经济净现值	JJJXZ	N(7,2)		万元		
内部收益率	NBSYL	N(4,2)		%		

F.6.5　水土保持生态工程项目编码。见 F.3.5。

F.6.6　建设地点。工程所在省、市、县。见 A.1.5。

F.6.7　建设期限。工程开工和验收交工的起止时间。

F.6.8　项目区人口。见 C.1.12。

F.6.9　农业人口数。见 C.1.13。

F.6.10　实测最大 24h 降水量。雨量桶实测的连续 24 小时的最大降水量。

F.6.11　多年平均大风日数。多年平均出现大于 5m/s 风速的天数。

F.6.12　多年平均气温。项目区多年平均气温。

F.6.13　森林覆盖度。见 E.3.21。

F.6.14　水土流失面积。见 F.1.11。

F.6.15　土壤侵蚀模数。见 B.8.19。

F.6.16　治理度(占总面积)。治理面积占项目区面积的百分比。

F.6.17　治理度。见 E.5.23。

F.6.18　10 年一遇降水量工程防御暴雨标准。根据多年实测资料确定的 10 年一遇的暴雨降水量。

F.6.19　20 年一遇降水量工程防御暴雨标准。根据多年实测资料确定的 20 年一遇的暴雨降水量。

F.6.20　造林保存率。指符合规定的树木成活标准和密度标准的造林面积占累计造林面积的百分比。

F.6.21　治理面积合计。各项治理措施的面积合计。

F.6.22　梯田。见 F.1.14。

F.6.23　水浇地。见 F.1.15。

F.6.24　保土耕作。见 F.1.16。

F.6.25　乔木林。见 B.4.19。

F.6.26　灌木林。见 B.4.20。

F.6.27　果园。见 F.1.19。

F.6.28　经济林。见 F.1.20。

F.6.29　苗圃。见 F.1.21。

F.6.30　人工种草。见 B.4.23。

F.6.31　封禁治理。见 F.1.23。

F.6.32　坝地。见 F.1.24。

F.6.33　沟头防护。见 F.1.25。

F.6.34　谷坊。见 F.1.26。

F.6.35　骨干坝。见 F.1.27。

F.6.36　中型坝。见 F.1.28。

F.6.37　小型坝。见 F.1.29。

F.6.38　淤地坝合计。见 F.1.30。

F.6.39　截水沟。见 F.1.31。

F.6.40　排水沟。见 F.1.32。

F.6.41　沉沙池。见 F.1.33。

F.6.42　蓄水池。见 F.1.34。

F.6.43　水窖。见 F.1.35。

F.6.44　塘坝。见 F.1.36。

F.6.45　引洪漫地。见 F.1.37。

F.6.46　人字闸。见 F.1.38。

F.6.47　沙障固沙。见 F.1.39。

F.6.48　防风防沙林带。见 F.1.40。

F.6.49　固沙草带。见 F.1.42。

F.6.50　道路。见 F.1.43。

F.6.51　其他水保措施。见 F.1.44。

F.6.52　土方。工程完成的土方量。

F.6.53　石方。工程完成的石方量。

F.6.54　混凝土量。工程完成的混凝土方量。

F.6.55　水泥量。工程水泥用量。

F.6.56　钢材量。工程钢材用量。

F.6.57　油料量。工程油品用量。

F.6.58　炸药量。工程炸药用量。

F.6.59　树苗数。工程树苗用量。

F.6.60　种籽量。工程种籽用量。

F.6.61　总用工日。工程总用工日数。

F.6.62　年均用工日。平均每年用工日数。

F.6.63　年劳均出工日。每个劳动力每年平均出工日数。

F.6.64　机械施工量。施工过程机械应用的台班数。

F.6.65　年均机械用量。平均每年的机械应用台班数。

F.6.66　中央投资。见 F.4.14。

F.6.67　地方投资。见 F.4.15。

F.6.68　群众投资。见 F.4.16。

F.6.69　年拦泥沙能力。每年拦截泥沙的数量。

F.6.70　年蓄水量。每年蓄存降水和径流的数量。

F.6.71　植被覆盖度。见 D.8.31。

F.6.72　经济效益。生态工程直接带来的经济效益。

F.6.73　效益费用比。经济效益与中央、地方和群众自筹生态建设总投入的比值。

F.6.74　经济净现值。指项目经济计算期内现金流入总和与现金流出总和之差额，按一定的贴现率折算到项目实施开始的基准年的数值。

F.6.75　内部收益率。指项目在整个计算期内，项目逐年现金流入的现值总额等于现金流出的现值总额，即使净现值为零的贴现率。

F.7　水土保持生态工程项目计划及完成情况统计表

F.7.1　水土保持生态工程项目计划及完成情况统计表用来记录水土保持生态工程项目的各种计划及完成情况。

F.7.2　表标识:TB ＿ ZL ＿ SBGCXMJH。

F.7.3　表编号:607。

F.7.4　表结构见表 F.7.4。

F.7.5　水土保持生态工程项目编码。见 F.3.5。

F.7.6　统计分类。00:为项目计划;01:为年度计划;02:为本期完成;03:为累计完成。

表 F.7.4　水土保持生态工程项目计划及完成情况统计表

字 段 名	标 识 符	类型及长度	有无空值	单 位	主键	索引序号
水土保持生态工程项目编码	SBSTXMBM	C(12)	无		Y	1
水土保持生态工程项目名称	SBSTXMMC	VC(40)	无		Y	2

字 段 名	标 识 符	类型及长度	有无空值	单 位	主键	索引序号
统计分类	TJFL	C(2)	无		Y	3
统计时段	TJSD	VC(40)				
承建单位	CJDW	VC(40)				
项目总投资	XMZTZ	N(8,2)		万元		
中央投资	ZYTZ	N(7,2)		万元		
梯田	ZLCS_TT	N(11,2)		hm²		
水浇地	ZLCS_SD	N(11,2)		hm²		
保土耕作	ZLCS_BTGZ	N(11,2)		hm²		
乔木林	ZLCS_QML	N(11,2)		hm²		
灌木林	ZLCS_GML	N(11,2)		hm²		
经济林	ZLCS_JJL	N(11,2)		hm²		
果园	ZLCS_GY	N(11,2)		hm²		
苗圃	ZLCS_MP	N(11,2)		hm²		
人工种草	ZLCS_RGZC	N(11,2)		hm²		
封禁治理	ZLCS_FJZL	N(11,2)		hm²		
坝地	ZLCS_BD	N(11,2)		hm²		
沟头防护	ZLCS_GTFH	N(6)		处		
谷坊	ZLCS_GF	N(6)		座		
骨干坝	ZLCS_DXYDB	N(6)		座		
中型坝	ZLCS_ZXYDB	N(6)		座		
小型坝	ZLCS_XXYDB	N(6)		座		
淤地坝合计	ZLCS_YDB	N(6)		座		
截水沟	ZLCS_JSG	N(8)		m		
排水沟	ZLCS_PSG	N(8)		m		
沉沙池	ZLCS_CSD	N(6)		个		
蓄水池	ZLCS_XSC	N(6)		个		
水窖	ZLCS_SJ	N(6)		眼		
塘坝	ZLCS_TB	N(5)		座		

字 段 名	标 识 符	类型及长度	有无空值	单 位	主键	索引序号
引洪漫地	ZLCS _ YHMD	N(11,2)		hm²		
人字闸	ZLCS _ RZZ	N(6)		座		
沙障固沙	ZLCS _ SZGS	N(6)		hm²		
防风防沙林带	ZLCS _ FFFSLD	N(8)		m		
固沙草带	ZLCS _ GSCD	N(8)		m		
引水拉沙造地	ZLCS _ YSLSZD	N(11,2)		hm²		
道路	ZLCS _ DL	N(6)		km		
其他水保措施	QTSBCS	V(50)				

F.7.7 统计时段。统计的开始和结束时间。

F.7.8 承建单位。承担水土保持生态工程项目的单位名称。

F.7.9 项目总投资。见 F.15.6。

F.7.10 中央投资。见 F.4.14。

F.7.11 梯田。见 F.1.14。

F.7.12 水浇地。见 F.1.15。

F.7.13 保土耕作。见 F.1.16。

F.7.14 乔木林。见 B.4.19。

F.7.15 灌木林。见 B.4.20。

F.7.16 果园。见 F.1.19。

F.7.17 经济林。见 F.1.20。

F.7.18 苗圃。见 F.1.21。

F.7.19 人工种草。见 B.4.23。

F.7.20 封禁治理。见 F.1.23。

F.7.21 坝地。见 F.1.24。

F.7.22 沟头防护。见 F.1.25。

F.7.23 谷坊。见 F.1.26。

F.7.24 骨干坝。见 F.1.27。

F.7.25 中型坝。见 F.1.28。

F.7.26 小型坝。见 F.1.29。

F.7.27 淤地坝合计。见 F.1.30。

F.7.28 截水沟。见 F.1.31。

F.7.29 排水沟。见 F.1.32。

F.7.30 沉沙池。见 F.1.33。

F.7.31 蓄水池。见 F.1.34。

F.7.32 水窖。见 F.1.35。

F.7.33 塘坝。见 F.1.36。

F.7.34 引洪漫地。见 F.1.37。

F.7.35 人字闸。见 F.1.38。

F.7.36 沙障固沙。见 F.1.39。

F.7.37 防风防沙林带。见 F.1.40。

F.7.38 固沙草带。见 F.1.42。

F.7.39 道路。见 F.1.43。

F.7.40 其他水保措施。见 F.1.44。

F.8 水土保持生态工程项目进度动态表

F.8.1 水土保持生态工程项目进度动态表用来记录各种水土保
持生态工程项目的进度情况。

F.8.2 表标识:TB _ ZL _ GCXMJDDT。

F.8.3 表编号:608。

F.8.4 表结构见表 F.8.4。

F.8.5 水土保持生态工程项目编码。见 F.3.5。

F.8.6 统计时段。见 F.7.7。

F.8.7 项目计划。全项目的计划工程量。

表 F.8.4 水土保持生态工程项目进度动态表

字　段　名	标 识 符	类型及长度	有无空值	单 位	主键	索引序号
水土保持生态工程项目编码	SBSTXMBM	C(12)	无		Y	1
水土保持生态工程项目名称	SBSTXMMC	VC(40)	无		Y	2
统计时段	TJSD	VC(40)	无		Y	3
项目计划	XMJH	VC(400)				
年度计划	NDJH	VC(400)				
本期上报	BQSB	VC(400)				
监理结果	JLJG	VC(400)				
核查结果	HCJG	VC(400)				
累计完成	LJWC	VC(400)				
年度计划完成情况	NDJHWCQK	VC(400)				
总计划完成情况	ZJHWCQK	VC(400)				

F.8.8　年度计划。本年度计划完成的工程量。

F.8.9　本期上报。本期建设时段完成的工程量。

F.8.10　监理结果。监理认定的完成的工程量及对工程的评价结果。

F.8.11　核查结果。项目负责单位核查认定的工作量。

F.8.12　累计完成。截至统计时段末该工程累计完成的工作量。

F.8.13　年度计划完成比例。上报年度完成工程量占年度计划完成工程量的百分比。

F.8.14　总计划完成比例。累计完成工程量占总工程量的百分比。

F.9 水土保持生态工程项目质量情况表

F.9.1 水土保持生态工程项目质量情况表用来记录各水土保持生态工程项目的质量情况。

F.9.2 表标识:TB_ZL_XMZLQKB。

F.9.3 表编号:609。

F.9.4 表结构见表F.9.4。

F.9.5 水土保持生态工程项目编码。见F.3.5。

F.9.6 统计时段。指统计的起止时间。

F.9.7 本期完成数量。本期完成的工作量。

F.9.8 单元工程质量评定数量。统计期间,按工程质量评定标准完成评定的项目单元工程的数量。

F.9.9 单元工程合格率。评定结果为合格的单元工程数量占全部评定数量的比率。

F.9.10 单元工程优良率。评定结果为优良的单元工程数量占全部评定数量的比率。

表 F.9.4 水土保持生态工程项目质量情况表

字 段 名	标 识 符	类型及长度	有无空值	单 位	主键	索引序号
水土保持生态工程项目编码	SBSTXMBM	C(12)	无		Y	1
水土保持生态工程项目名称	SBSTXMMC	VC(40)	无		Y	2
统计时段	TJSD	T	无		Y	3
本期完成数量	BQWCSL	VC(400)				
单元工程质量评定数量	DYGC_SL	N(4)		个		

续表 F.9.4

字 段 名	标 识 符	类型及长度	有无空值	单 位	主键	索引序号
单元工程合格率	DYGC_HGL	VC(40)				
单元工程优良率	DYGC_YLL	VC(40)		%		
分部工程质量评定数量	FBGC_SL	N(4)		个		
分部工程合格率	FBGC_HGL	VC(40)				
分部工程优良率	FBGC_YLL	VC(40)		%		
单位工程质量评定数量	DWGC_SL	N(4)		个		
单位工程合格率	DWGC_HGL	VC(40)				
单位工程优良率	DWGC_YLL	VC(40)		%		
工程项目质量评定结果	XMZLPDJG	VC(4)				
备注	BZ	VC(400)				

F.9.11 分部工程质量评定数量。统计期间,按工程质量评定标准完成评定的项目分部工程的数量。

F.9.12 分部工程合格率。评定结果为合格的分部工程数量占全部评定数量的比率。

F.9.13 分部工程优良率。评定结果为优良的分部工程数量占全部评定数量的比率。

F.9.14 单位工程质量评定数量。统计期间,按工程质量评定标准完成评定的项目单位工程的数量。

F.9.15 单位工程合格率。评定结果为合格的单位工程数量占全部评定数量的比率。

F.9.16 单位工程优良率。评定结果为优良的单位工程数量占全部评定数量的比率。

F.9.17 工程项目质量评定结果,取值为合格或优良两种值。

F.9.18 备注。必要相关内容的注解、描述等。

F.10 水土保持生态工程项目资金到位情况表

F.10.1 水土保持生态工程资金到位情况表用来记录水土保持生态工程项目的资金到位情况。

F.10.2 表标识:TB _ ZL _ GCZJDWQK。

F.10.3 表编号:610。

F.10.4 表结构见表 F.10.4。

表 F.10.4 水土保持生态工程项目资金到位情况表

字 段 名	标 识 符	类型及长度	有无空值	单 位	主键	索引序号
水土保持生态工程项目编码	SBSTXMBM	C(12)	无		Y	1
水土保持生态工程项目名称	SBSTXMMC	VC(40)	无		Y	2
统计日期	TJRQ	T	无		Y	3
中央年度计划投资	NDJH _ ZY	N(8,2)		万元		
地方年度计划投资	NDJH _ DF	N(8,2)		万元		
群众年度计划投资	NDJH _ QZ	N(8,2)		万元		
中央实际到位资金	SJDW _ ZY	N(8,2)		万元		
地方实际到位资金	SJDW _ DF	N(8,2)		万元		
群众实际到位资金	SJDW _ QZ	N(8,2)		万元		
备注	BZ	VC(400)				

F.10.5 水土保持生态工程项目编码。见 F.3.5。

F.10.6 水土保持生态工程项目名称。见 F.3.6。

F.10.7 统计日期。指项目资金到位情况统计的时间。

F.10.8 中央年度计划投资。指中央年度计划下达的投资。

F.10.9 地方年度计划投资。指地方年度计划下达的投资。

F.10.10 群众年度计划投资。指群众年度计划投入的投资。

F.10.11 中央实际到位资金。指中央年度实际下达的投资。

F.10.12 地方实际到位资金。指地方年度实际下达的投资。

F.10.13 群众实际到位资金。指群众年度实际投入的投资。

F.10.14 备注。必要相关内容的注解、描述等。

F.11 水土保持生态工程项目建设管理情况表

F.11.1 水土保持生态项目建设管理情况表用来记录黄河流域的水土保持生态工程项目的建设管理情况。

F.11.2 表标识:TB _ ZHZL _ XMJSGLQK。

F.11.3 表编号:611。

F.11.4 表结构见表 F.11.4。

表 F.11.4 水土保持生态工程项目建设管理情况表

字 段 名	标 识 符	类型及长度	有无空值	单 位	主键	索引序号
水土保持生态工程项目编号	SBSTXMIBM	C(12)	无		Y	1
水土保持生态工程项目名称	SBSTXMMC	VC(40)	无		Y	2
填表时间	TBSJ	T	无		Y	3
领导机构	LDJG	VC(400)				

续表 F.11.4

字 段 名	标 识 符	类型及长度	有无空值	单 位	主键	索引序号
项目法人	XMFR	VC(400)				
建设单位	JSDW	VC(400)				
施工单位	SGDW	VC(400)				
监理单位	JLDW	VC(400)				
质量监督单位	JDDW	VC(400)				

F.11.5 水土保持生态工程项目编号。见 F.3.5。

F.11.6 填表时间。项目建设管理情况填报时间。

F.11.7 领导机构。水土保持生态工程项目建设管理的领导机构情况,包括领导机构名称、成员、负责人单位、负责人姓名、职务、电话等。

F.11.8 项目法人。承担水土保持生态工程项目的项目法人情况,包括项目法人姓名、单位、职务、电话等。

F.11.9 建设单位。见 E.5.12。

F.11.10 施工单位。水土保持生态工程项目施工单位的情况,包括施工单位全称、负责人、本项目参与人数、投入设备等。

F.11.11 监理单位。水土保持生态工程项目监理单位的情况,包括监理单位名称、项目经理、现场人员数量等。

F.11.12 质量监督单位。水土保持生态工程项目质量监督单位的情况,包括质量监督单位的名称、负责人等。

F.12 水土保持生态工程项目验收情况表

F.12.1 水土保持生态工程验收情况表用来记录水土保持生态工

程项目的各验收阶段的验收信息。

F.12.2　表标识:TB _ ZL _ GCYSQK。

F.12.3　表编号:612。

F.12.4　表结构见表 F.12.4。

表 F.12.4　水土保持生态工程项目验收情况表

字 段 名	标 识 符	类型及长度	有无空值	单 位	主键	索引序号
水土保持生态工程项目编码	SBSTXMBM	C(12)	无		Y	1
水土保持生态工程项目名称	SBSTXMMC	VC(40)	无		Y	2
项目验收阶段	XMYSJD	VC(20)	无		Y	3
项目验收主持单位	XMYSZCDW	VC(20)				
项目验收参加单位	XMYSCJDW	VC(100)				
验收时间	YSSJ	T				
主要验收意见	YSYJ	VC(4000)				
备注	BZ	VC(200)				

F.12.5　水土保持生态工程项目编码。见 F.3.5。

F.12.6　项目验收阶段。水土保持生态工程项目验收分为单项措施验收、阶段验收和竣工验收。

F.12.7　项目验收主持单位。水土保持生态工程项目验收的主持单位,一般为水土保持行政管理部门。

F.12.8　项目验收参加单位。水土保持生态工程项目验收的参加单位。

F.12.9　验收时间。见 E.3.7。

F.12.10　主要验收意见。水土保持生态工程项目验收单位对工程进度、质量、投资、效益等核心问题的评价。

F.12.11 备注。必要相关内容的注解、描述等。

F.13 生态修复工程项目统计表

F.13.1 生态修复工程项目统计表记录生态修复工程项目的面积、管护单位、工程投资等信息。

F.13.2 表标识：TB _ ZL _ STXFXMTJ。

F.13.3 表编号：613。

F.13.4 表结构见表 F.13.4。

表 F.13.4 生态修复工程项目统计表

字 段 名	标 识 符	类型及长度	有无空值	单 位	主键	索引序号
生态修复工程编码	STXFGCBM	C(12)	无		Y	1
生态修复工程名称	STXFGCMC	VC(30)	无		Y	2
所属保护区名称	BHQMC	VC(40)				
审批单位	SPDW	VC(20)				
审批时间	SPSJ	T				
建设单位	JSDW	VC(40)				
开始时间	KSSJ	T				
项目区总面积	XMQ _ Z	N(7,2)		km²		
项目区封禁面积	XMQ _ FJ	N(7,2)		hm²		
管护单位名称	GHDW _ MC	VC(20)				
管护单位人员	GHDW _ RY	N(3)		人		
工程围栏	WL _ GC	N(5)		m		
植物围栏	WL _ ZW	N(5)		m		
轮封轮牧	LFLM	N(7,2)		hm²		

字 段 名	标 识 符	类型及长度	有无空值	单 位	主键	索引序号
舍饲圈养	SSJY	N(5)		只		
界桩	BZP_JZ	N(3)		个		
标志牌	BZP_BZP	N(3)		个		
标语牌	BZP_BYP	N(3)		个		
补植补播面积	BZBBMJ	N(7,2)		hm²		
抚育面积	FYMJ	N(7,2)		hm²		
监测点布设	JCDBS	N(3)		个		
政策措施	ZCCS	B				
项目总投资	XMZTZ	N(7,2)		万元		
中央投资	ZYTZ	N(7,2)		万元		
地方投资	DFTZ	N(7,2)		万元		
群众投资	QZTZ	N(7,2)		万元		

F.13.5　生态修复工程编码。遵守 SZHH12—2004 的规定。

F.13.6　生态修复工程名称。生态修复工程的名称。

F.13.7　保护区名称。国家批准的生态修复工程预防保护区名称。

F.13.8　审批单位。见 F.4.12。

F.13.9　审批时间。见 F.5.11。

F.13.10　建设单位。见 E.5.12。

F.13.11　开始时间。见 E.3.6。

F.13.12　项目区总面积。生态修复工程项目区总面积。

F.13.13　项目区封禁面积。生态修复工程项目区封禁面积。

F.13.14　管护单位人员。管护单位人员数量。

F.13.15　工程围栏。工程围栏长度。

F.13.16　植物围栏。植物围栏长度。

F.13.17　轮封轮牧。轮封轮牧面积。

F.13.18 舍饲圈养。舍饲圈养牲畜数量。

F.13.19 界桩。界桩数量。

F.13.20 标志牌。标志牌数量。

F.13.21 标语牌。标语牌数量。

F.13.22 补植补播面积。在原有基础上补植补播,增加成活率和密度等的面积。

F.13.23 抚育面积。利用封禁等措施实施生态抚育的面积。

F.13.24 监测点布设。监测点数量和分辨的说明。

F.13.25 政策措施。为开展生态修复工程而采取的政策措施和管理办法等情况。

F.13.26 项目总投资。见 F.5.16。

F.13.27 中央投资。见 F.4.14。

F.13.28 地方投资。见 F.4.15。

F.13.29 群众投资。见 F.4.16。

F.14 淤地坝工程主要技术经济指标表

F.14.1 淤地坝工程主要技术经济指标表用来记录淤地坝工程的工程规模、工程量、投资等技术经济指标情况。

F.14.2 表标识:TB _ ZL _ YDBJJZB。

F.14.3 表编号:614。

F.14.4 表结构见表 F.14.4。

F.14.5 淤地坝工程编码。遵守 SZHH12—2004 的规定。

F.14.6 工程名称。淤地坝工程全称。

F.14.7 建设地点。工程所在省、市、县。见 A.1.5。

F.14.8 水系名。淤地坝所在地区的小流域的名称。

F.14.9 支沟名。淤地坝所在的支毛沟的名称。

F.14.10 工程位置。淤地坝工程的经度和纬度。

表 F.14.4　淤地坝工程主要技术经济指标表

字 段 名	标 识 符	类型及长度	有无空值	单 位	主键	索引序号
淤地坝工程编码	GCBM	C(13)	无		Y	1
工程名称	GCMC	VC(30)	无		Y	2
建设地点	JSDD	VC(40)				
水系名	SXM	VC(20)				
支沟名	ZGM	VC(20)				
工程位置	GCWZ	VC(20)				
建设性质	JSXZ	VC(20)				
控制面积	KZMJ	N(4,2)		km^2		
总库容	ZKR	N(5,2)		万 m^3		
拦泥库容	LNKR	N(5,2)		万 m^3		
可淤面积	KYMJ	N(5,2)		hm^2		
淤积年限	YJNX	N(3)		年		
拦河坝型式	LHBXS	VC(20)				
最大坝高	LHBZDBG	N(5,2)		m		
坝顶长	LHBBDC	N(6,2)		m		
坝体方量	LHBBTFL	N(5,2)		万 m^3		
施工方式	LHBSZLCS _ GFS	VC(20)				
拦河坝投资	LHBTZ	N(5,2)		万元		
输水洞型式	SSDXS	VC(20)				
洞身长度	SSDDSCD	N(6,2)		m		
输水洞宽×高	SSDKG	VC(20)				
输水洞直径	SSDZJ	N(4,2)		m		
放水设施型式	FSSSXS	VC(20)				
放水设施总高度	FSSSZGD	N(5,2)		m		
放水设施每台高度	FSSSMTGD	N(4,2)		m		
放水设施宽×高	FSSSKG	VC(20)				
放水设施直径	FSSSZJ	N(4,2)		m		

字 段 名	标 识 符	类型及长度	有无空值	单 位	主键	索引序号
溢洪道型式	YHDXS	VC(20)				
溢洪道总长度	YHDZCD	N(6,2)		m		
溢洪道断面高×宽	YHDDMGK	VC(20)				
土方	TF	N(8,2)		m^3		
石方	SF	N(8,2)		m^3		
混凝土量	HNT	N(8,2)		m^3		
人工	RG	N(5,2)		万工日		
项目总投资	XMZTZ	N(5,2)		万元		
中央投资	ZYTZ	N(5,2)		万元		
地方投资	DFTZ	N(5,2)		万元		
群众投资	QZTZ	N(5,2)		万元		
防洪保护效益	XYFHBH	N(6,2)		hm^2		
灌溉效益	XYGG	N(6,2)		hm^2		
养鱼效益	XYYY	N(5,2)		万尾		
解决人口饮水	XYRCRSR	N(5)		人		
解决牲畜饮水	XYRCRST	N(5)		头		
单位库容投资	DWKRTZ	N(6,2)		元/m^3		
单位拦泥投资	DWLNTZ	N(6,2)		元/m^3		
单位淤地投资	DWYDTZ	N(7,2)		元/hm^2		
单位淤地面积拦泥	DWYDMJLN	N(7,2)		m^3/hm^2		
水泥量	SN	N(7,2)		t		
钢材量	GC	N(7,2)		t		
木材量	ZYCLYLMC	N(7,2)		m^3		
炸药量	ZY	N(7,2)		t		
柴油量	ZYCLYLCY	N(7,2)		t		
开工时间	KGSJ	T				
竣工时间	JGSJ	T				
总工期	ZGQ	N(4)		d		

F.14.11　建设性质。淤地坝工程的建设用途说明。

F.14.12　控制面积。淤地坝工程上游集水区的面积。

F.14.13　总库容。淤地坝工程的拦泥库容和最大滞洪库容之和，或者坝体平均高度与自然地形形成的最大的体积。

F.14.14　拦泥库容。淤地坝工程可以拦截泥沙的库容。

F.14.15　可淤面积。淤地坝工程拦泥库容区的水平面积。

F.14.16　淤积年限。淤地坝工程拦泥库容淤满所需的年限。

F.14.17　拦河坝型式。包括水坠坝和碾压土坝两种。

F.14.18　最大坝高。拦河坝的拦泥坝高、滞洪坝高和安全超高三部分构成的总高度。

F.14.19　坝顶长。拦河坝坝体顶部垂直与主河道的总长度。

F.14.20　坝体方量。按照坝基宽度、坝坡坡率和坝高计算的坝体总方量。

F.14.21　施工方式。有水坠坝施工和碾压土坝施工两种。

F.14.22　拦河坝投资。拦河坝的投资金额。

F.14.23　输水洞型式。包括混凝土涵管、方涵和拱涵三类。

F.14.24　洞身长度。输水洞在坝体内的长度。

F.14.25　输水洞宽×高。方形输水洞的平均宽度和平均高度。

F.14.26　输水洞直径。管形输水洞的内径。

F.14.27　放水设施型式。卧管式放水设施和竖井式放水设施。

F.14.28　放水设施总高度。所有放水设施出水口高度之和。

F.14.29　放水设施每台高度。放水设施总高度与放水设施数量之比。

F.14.30　放水设施宽×高。方形放水设施的平均宽度和平均高度。

F.14.31　放水设施直径。管形放水设施的内径。

F.14.32　溢洪道型式。包括陡坡式溢洪道和明渠式溢洪道两种。

F.14.33　溢洪道总长度。溢洪道的总长度。

F.14.34　溢洪道断面高×宽。溢洪道平均高与平均宽度。

F.14.35 土方。见 F.6.52。

F.14.36 石方。见 F.6.53。

F.14.37 混凝土量。见 F.6.54。

F.14.38 人工。淤地坝工程投入的人力数量,用人天数。

F.14.39 项目总投资。见 F.5.16。

F.14.40 中央投资。见 F.4.14。

F.14.41 地方投资。见 F.4.15。

F.14.42 群众投资。见 F.4.16。

F.14.43 防洪保护效益。淤地坝工程防洪保收的农田面积。

F.14.44 灌溉效益。淤地坝工程灌溉的农田面积。

F.14.45 养鱼效益。淤地坝工程养鱼数量。

F.14.46 解决人口饮水数量。淤地坝工程可以提供饮水的人口数量。

F.14.47 解决牲畜饮水数量。淤地坝工程可以提供饮水的牲畜数量。

F.14.48 单位库容投资。每 1 m^3 总库容的投资金额。

F.14.49 单位拦泥投资。每 1 m^3 拦泥库容的投资金额。

F.14.50 单位淤地投资。淤积每 1 hm^2 土地的投资额。

F.14.51 单位淤地面积拦泥。淤积每 1 hm^2 土地的拦泥量。

F.14.52 开工时间。淤地坝工程开工的年月日。

F.14.53 竣工时间。淤地坝工程竣工的年月日。

F.14.54 总工期。淤地坝工程从开工到竣工总共花费的时间。

F.15 淤地坝工程建设进度表

F.15.1 淤地坝工程建设进度表用来记录各项淤地坝工程的进度情况。

F.15.2 表标识:TB _ ZL _ YDBJSJD。

F.15.3 表编号:615。

F.15.4 表结构见表 F.15.4。

表 F.15.4 淤地坝工程建设进度表

字 段 名	标 识 符	类型及长度	有无空值	单 位	主键	索引序号
淤地坝工程编码	GCBM	C(13)	无		Y	1
工程名称	GCMC	VC(30)	无		Y	2
填表日期	TBRQ	T	无		Y	3
完成土方量	WCGCL_TF	N(4,2)		万 m³		
完成石方量	WCGCL_SF	N(4,2)		万 m³		
完成混凝土方量	WCGCL_HNTF	N(4,2)		万 m³		
已建坝高	YJBG	N(3,1)		m		
备注	BZ	VC(200)				

F.15.5 淤地坝工程编码。见 F.14.5。

F.15.6 完成土方量。累计完成的土方量。

F.15.7 完成石方量。累计完成的石方量。

F.15.8 完成混凝土方量。累计完成的混凝土方量。

F.15.9 已建坝高。指统计时工程已建坝高。

F.15.10 备注。必要相关内容的注解、描述等。

F.16 淤地坝工程资金到位情况表

F.16.1 淤地坝工程资金到位情况表用来记录淤地坝工程的各类资金的到位情况。

F.16.2 表标识:TB_ZL_YDBZJDW。

F.16.3 表编号:616。

F.16.4 表结构见表 F.16.4。

表 F.16.4 淤地坝工程资金到位情况表

字 段 名	标 识 符	类型及长度	有无空值	单 位	主键	索引序号
淤地坝工程编码	GCBM	C(13)	无		Y	1
工程名称	GCMC	VC(30)	无		Y	2
统计日期	TBRQ	T	无		Y	3
中央年度计划投资	NDJH＿ZY	N(4,2)		万元		
地方年度计划投资	NDJH＿DF	N(4,2)		万元		
群众年度计划投资	NDJH＿QZ	N(4,2)		万元		
中央实际到位资金	SJDW＿ZY	N(4,2)		万元		
地方实际到位资金	SJDW＿DF	N(4,2)		万元		
群众实际到位资金	SJDW＿QZ	N(4,2)		万元		
备注	BZ	VC(60)				

F.16.5 淤地坝工程编码。见 F.14.5。

F.16.6 工程名称。见 F.14.6。

F.16.7 统计日期。见 F.10.7。

F.16.8 中央年度计划投资。见 F.10.8。

F.16.9 地方年度计划投资。见 F.10.9。

F.16.10 群众年度计划投资。见 F.10.10。

F.16.11 中央实际到位资金。见 F.10.11。

F.16.12 地方实际到位资金。见 F.10.12。

F.16.13 群众实际到位资金。见 F.10.13。

F.16.14 备注。必要相关内容的注解、描述等。

F.17 淤地坝工程运行情况调查表

F.17.1 淤地坝工程运行情况调查表用来记录小流域范围内淤地坝的新增淤地面积、累计淤地面积等信息。

F.17.2 表标识:TB＿ZL＿YDBYXQK。

F.17.3 表编号:617。

F.17.4 表结构见表 F.17.4。

表 F.17.4 淤地坝工程运行情况调查表

字 段 名	标 识 符	类型及长度	有无空值	单 位	主键	索引序号
调查日期	DCRQ	T	无		Y	1
淤地坝工程编码	GCBM	C(13)	无		Y	2
小流域编码	XLYBM	C(12)	无		Y	3
支沟名	ZGM	VC(20)				
总库容	ZKR	N(5,2)		万 m³		
已淤库容	YJKR	N(5,2)		万 m³		
剩余库容	SYKR	N(5,2)		万 m³		
可淤面积	KYMJ	N(6,2)		hm²		
淤地面积	XZYDMJ	N(6,2)		hm²		
坝高	BG	N(3,1)		m		
已淤坝高	YYBG	N(3,1)		m		
剩余坝高	SYBG	N(3,1)		m		
坝体安全	BTAQ	VC(200)				
坝地利用情况	BDLYQK	VC(400)				
备注	BZ	VC(60)				

F.17.5 调查日期。见 D.39.8

F.17.6 淤地坝工程编码。见 F.14.5。

F.17.7 小流域编码。见 A.4.5。

F.17.8 支沟名。见 F.14.9。

F.17.9 总库容。见 F.14.13。

F.17.10 已淤库容。到统计时的已经淤积的淤地坝库容。

F.17.11 剩余库容。淤地坝目前剩余可用库容。

F.17.12 可淤面积。见 F.14.15。

F.17.13 淤地面积。当年新增加的淤地面积。

F.17.14 坝高。见 F.14.18。

F.17.15 已淤坝高。到统计时的淤积坝高。

F.17.16 剩余坝高。到统计时的淤积坝高。

F.17.17 坝体安全。淤地坝目前的安全情况,有无裂缝等。

F.17.18 备注。必要相关内容的注解、描述等。

附录 G 效益评价信息类数据表表结构

G.1 典型小流域林草植被监测表

G.1.1 典型小流域林草植被监测表用来记录典型小流域林草植被情况。

G.1.2 表标识:TB＿PJ＿XLYLCZB。

G.1.3 表编号:701。

G.1.4 表结构见表 G.1.4。

表 G.1.4 典型小流域林草植被监测表

字 段 名	标 识 符	类型及长度	有无空值	单 位	主键	索引序号
小流域编码	XLYBM	C(12)	无		Y	1
小流域名称	XLYMC	VC(20)	无		Y	2
监测内容(林草植被)	JCNRLC	VC(100)	无		Y	3
样方位置	YFWZ	VC(20)			Y	4
样方面积	YFMJ	N(5,1)		m²		
监测时间	JCSJ	T	无			
监测方法	JCFF	VC(50)				
监测结果	JCJG	B				

G.1.5 小流域编码。见 A.4.5。

G.1.6 监测内容(林草植被)。监测内容可分为林地盖度、草地盖度、灌木林覆盖度、乔灌草混合体系覆盖度、控制面积内植被覆盖度等。

G.1.7 样方位置。监测样方的地理位置。

G.1.8 样方面积。监测样方的面积。

G.1.9 监测时间。监测的年、月、日。

G.1.10 监测方法。监测小流域林草植被情况采用的方法。

G.1.11 监测结果。针对不同的监测内容取得的监测结果。

G.2 典型小流域小气候变化情况监测表

G.2.1 典型小流域小气候变化情况监测表用来记录典型小流域小气候变化情况。

G.2.2 表标识:TB_PJ_XLYQHBH。

G.2.3 表编号:703。

G.2.4 表结构见表 G.2.4。

表 G.2.4 典型小流域小气候变化情况监测表

字 段 名	标 识 符	类型及长度	有无空值	单 位	主键	索引序号
小流域编码	XLYBM	C(12)	无		Y	2
统计年份	TJNF	C(4)	无		Y	3
监测内容(小气候)	JCNRQH	VC(100)	无		Y	1
监测结果	JCJG	B				

G.2.5 小流域编码。见 A.4.5。

G.2.6 统计年份。见 B.1.5。

G.2.7 监测内容(小气候)。典型监测内容主要包括降水量、蒸发量、气温、相对湿度、风速等。

G.2.8 监测结果。见 G.1.11。

G.3 典型小流域水质变化情况监测表

G.3.1 典型小流域水质变化情况监测表用来记录典型小流域水质变化情况。

G.3.2 表标识：TB _ PJ _ XLYSZBH。

G.3.3 表编号：704。

G.3.4 表结构见表 G.3.4。

G.3.5 小流域编码。见 A.4.5。

G.3.6 统计年份。见 B.1.5。

表 G.3.4 典型小流域水质变化情况监测表

字 段 名	标 识 符	类型及长度	有无空值	单 位	主键	索引序号
小流域编码	XLYBM	C(12)	无		Y	1
统计年份	TJNF	C(4)	无		Y	2
BOD5	BOD5	N(5,2)		mg/L		
COD	COD	N(5,2)		mg/L		
氨氮含量	AD	N(5,2)		mg/L		
总砷	ZS	N(5,2)		mg/L		
有机磷农药含量	YJLNY	N(5,2)		mg/L		
大肠杆菌数量	DCGJ	N(5,2)		个/ml		
化肥Ⅰ	HF1	VC(20)				
化肥Ⅰ用量	HF1YL	N(7,2)		kg		
化肥Ⅱ	HF2	VC(20)				
化肥Ⅱ用量	HF2YL	N(7,2)		kg		
农药Ⅰ	NY1	VC(20)				
农药Ⅰ用量	NY1YL	N(7,2)		kg		
农药Ⅱ	NY2	VC(20)				
农药Ⅱ用量	NY2YL	N(7,2)		kg		

G.3.7 BOD5。典型小流域水样中的生化需氧量。

G.3.8 COD。典型小流域水样中的化学需氧量。

G.3.9 氨氮含量。典型小流域水样中氨态氮的浓度。

G.3.10 总砷。典型小流域水样中有机砷和无机砷的总浓度。

G.3.11 有机磷农药含量。典型小流域水样中有机磷农药的浓度。

G.3.12 大肠杆菌数量。典型小流域水样中大肠杆菌的浓度。

G.3.13 化肥Ⅰ。典型小流域水样中第一种化肥的名称。

G.3.14 化肥Ⅰ用量。典型小流域水样中第一种化肥的含量。

G.3.15 化肥Ⅱ。典型小流域水样中第二种化肥的名称。

G.3.16 化肥Ⅱ用量。典型小流域水样中第二种化肥的含量。

G.3.17 农药Ⅰ。典型小流域水样中第一种农药的名称。

G.3.18 农药Ⅰ用量。典型小流域水样中第一种农药的含量。

G.3.19 农药Ⅱ。典型小流域水样中第二种农药的名称。

G.3.20 农药Ⅱ用量。典型小流域水样中第二种农药的含量。

G.4 水土流失治理措施基础效益定额监测表

G.4.1 水土流失治理措施基础效益定额监测表用来记录各项水土流失治理坡面措施基础效益监测情况。

G.4.2 表标识:TB _ PJ _ JCXYDY。

G.4.3 表编号:705。

G.4.4 表结构见表 G.4.4。

G.4.5 水土保持类型区编码。见 B.8.5。

G.4.6 行政区编码。见 A.1.5。

G.4.7 统计年份。见 B.1.5。

G.4.8 水土保持措施编码。遵守 SZHH12—2004 的规定。

G.4.9 产流定额。措施产流定额。

表 G.4.4　水土流失治理措施基础效益定额监测表

字 段 名	标 识 符	类型及长度	有无空值	单 位	主键	索引序号
水土保持类型区编码	SBLXQBM	C(5)	无		Y	1
行政区编码	XZQBM	C(6)	无		Y	2
统计年份	TJNF	C(4)	无		Y	3
水土保持措施编码	SBCSBM	C(8)				
产流定额	CLDE	N(7,2)		m³/hm²		
产沙定额	CSDE	N(7,2)		t/hm²		
保土定额	BTDE	N(7,2)		t/hm²		
保水定额	BSDE	N(7,2)		m³/hm²		

G.4.10　产沙定额。措施产沙定额。

G.4.11　保土定额。措施保土定额。

G.4.12　保水定额。措施保水定额。

G.5　水土流失综合治理效益表

G.5.1　水土流失综合治理效益成果表用来记录水土流失治理主要效益状况。

G.5.2　表标识:TB＿PJ＿ZHZLXY。

G.5.3　表编号:706。

G.5.4　表结构见表 G.5.4。

G.5.5　空间尺度 1。见 B.1.6。

G.5.6　具体区域编码 1。见 B.1.7。

G.5.7　空间尺度 2。见 B.1.8。

G.5.8　具体区域编码 2。见 B.1.9。

表 G.5.4 水土流失综合治理效益成果表

字 段 名	标 识 符	类型及长度	有无空值	单 位	主键	索引序号
空间尺度 1	KJCD1	C(2)	无		Y	2
具体区域编码 1	BM1	VC(12)	无		Y	3
空间尺度 2	KJCD2	C(2)	无		Y	4
具体区域编码 2	BM2	VC(12)	无		Y	5
分析评价开始时段	PJKSSJ	T				
分析评价结束时段	PJJSSJ	T				
措施数量	CSSL	VC(400)				
保水量	JCXY _ BSL	N(7,2)		万 m³		
保土量	JCXY _ BTL	N(7,2)		万 t		
增加林草覆盖率	ZJLCFGL	N(4,2)		%		
年增产粮食	JJXY _ LSZC	N(5,1)		万 t		
年粮食单产增加量	LSDCJJL	N(6,2)		kg/hm²		
年增加收入	JJXY _ SRZJ	N(7,2)		万元		
年人均增加收入	RJZJSR	N(4)		元		
经济内部回收率	JJNBHSR	N(4,2)		%		
减轻自然灾害	SHXY _ JQZH	VC(1000)		万元		
促进社会进步	CJSHJB	VC(1000)				

G.5.9 措施数量。指水土保持措施的内容及规模。

G.5.10 保水量。具体内容见 GB/T 15774—1995。

G.5.11 保土量。具体内容见 GB/T 15774—1995。

G.5.12 增加林草覆盖率。具体内容见 GB/T 15774—1995。

G.5.13 年增产粮食。具体内容见 GB/T 15774—1995。

G.5.14 年粮食单产增加量。具体内容见 GB/T 15774—1995。

G.5.15　年增加收入。具体内容见 GB/T 15774—1995。

G.5.16　年人均增加收入。具体内容见 GB/T 15774—1995。

G.5.17　经济内部回收率。具体内容见 GB/T 15774—1995。

G.5.18　减轻自然灾害。具体内容见 GB/T 15774—1995。

G.5.19　促进社会进步。具体内容见 GB/T 15774—1995。

附录 H　空间数据信息类数据表表结构

H.1　坡度(25 万)表

H.1.1　坡度(25 万)表用来记录坡度 1:25 万比例尺下的相关信息。

H.1.2　表标识:GEO _ PD _ 25。

H.1.3　表编号:801。

H.1.4　表结构见表 H.1.4。

表 H.1.4　坡度(25 万)表

字 段 名	标 识 符	类型及长度	有无空值	单 位	主键	索引序号
对象编码	OBJECTID	N(4)	无		Y	1
面积	AREA	N(32,2)	无	m^2		
周长	PERIMETER	N(32,2)	无	m		
地面坡度编码	DMPDBM	C(4)	无			
空间要素存储字段	SHAPE	B	无			

H.1.5　对象编码。程序中使用的地图对象的索引号。

H.1.6　面积。坡度元素面积。

H.1.7　周长。坡度元素周长。

H.1.8　地面坡度编码。遵守 SZHH12—2004 的规定。

H.1.9　空间要素存储字段。存储空间信息数据的字段,按照空间数据格式存储。

H.2 植被(25万)表

H.2.1 植被(25万)表用来记录植被 1:25 万比例尺下的相关信息。

H.2.2 表标识:GEO _ ZB _ 25。

H.2.3 表编号:802。

H.2.4 表结构见表 H.2.4。

表 H.2.4 植被(25万)表

字 段 名	标 识 符	类型及长度	有无空值	单 位	主键	索引序号
对象编码	OBJECTID	N(4)	无		Y	1
面积	AREA	N(32,2)	无	m²		
周长	PERIMETER	N(32,2)	无	m		
植被覆盖度编码	ZBFGDBM	C(4)	无			
空间要素存储字段	SHAPE	B	无			

H.2.5 对象编码。见 H.1.5。

H.2.6 面积。植被元素面积。

H.2.7 周长。植被元素周长。

H.2.8 植被覆盖度编码。遵守 SZHH12—2004 的规定。

H.2.9 空间要素存储字段。见 H.1.9。

H.3 土壤侵蚀类型(25万)表

H.3.1 土壤侵蚀类型(25 万)表用来记录土壤侵蚀类型 1:25 万比例尺下的相关信息。

H.3.2 表标识:GEO _ TRQSLX _ 25。

H.3.3 表编号:803。

H.3.4 表结构见表 H.3.4。

表 H.3.4 土壤侵蚀类型(25 万)表

字 段 名	标 识 符	类型及长度	有无空值	单 位	主键	索引序号
对象编码	OBJECTID	N(4)	无		Y	1
面积	AREA	N(32,2)	无	m^2		
周长	PERIMETER	N(32,2)	无	m		
土壤侵蚀类型编码	TRQSLXBM	C(4)	无			
土壤侵蚀强度编码	TRQSQDBM	C(4)	无			
空间要素存储字段	SHAPE	B	无			

H.3.5 对象编码。见 H.1.5。

H.3.6 面积。土壤侵蚀类型面积。

H.3.7 周长。土壤侵蚀类型周长。

H.3.8 土壤侵蚀类型编码。遵守 SZHH12—2004 的规定。

H.3.9 土壤侵蚀强度编码。遵守 SZHH12—2004 的规定。

H.3.10 空间要素存储字段。见 H.1.9。

H.4 地面组成物质(25 万)表

H.4.1 地面组成物质(25 万)表用来记录地面组成物质 1:25 万比例尺下的相关信息。

H.4.2 表标识:GEO _ DMZCWZ _ 25。

H.4.3 表编号:804。

H.4.4 表结构见表 H.4.4。

表 H.4.4 地面组成物质(25 万)表

字 段 名	标 识 符	类型及长度	有无空值	单 位	主键	索引序号
对象编码	OBJECTID	N(4)	无		Y	1
面积	AREA	N(32,2)	无	m^2		
周长	PERIMETER	N(32,2)	无	m		
地面组成物质编码	DMZCWZBM	C(4)	无			
空间要素存储字段	SHAPE	B	无			

H.4.5 对象编码。见 H.1.5。

H.4.6 面积。地面组成物质元素面积。

H.4.7 周长。地面组成物质元素周长。

H.4.8 地面组成物质编码。遵守 SZHH12—2004 的规定。

H.4.9 空间要素存储字段。见 H.1.9。

H.5 水土保持类型区(25 万)表

H.5.1 水土保持类型区(25 万)表用来记录水土保持类型区 1:25 万比例尺下的相关信息。

H.5.2 表标识:GEO_STBCFQ_25。

H.5.3 表编号:805。

H.5.4 表结构见表 H.5.4。

H.5.5 对象编码。见 H.1.5。

H.5.6 面积。水土保持类型区面积。

表 H.5.4 水土保持类型区(25万)表

字 段 名	标 识 符	类型及长度	有无空值	单 位	主键	索引序号
对象编码	OBJECTID	N(4)	无		Y	1
面积	AREA	N(32,2)	无	m²		
周长	PERIMETER	N(32,2)	无	m		
水土保持类型区编码	SBLXQBM	N(2)	无			
空间要素存储字段	SHAPE	B	无			

H.5.7　周长。水土保持类型区周长。

H.5.8　水土保持类型区编码。见 B.8.5。

H.5.9　空间要素存储字段。见 H.1.9。

H.6　土地利用(25万)表

H.6.1　土地利用(25万)表用来记录土地利用 1:25 万比例尺下的相关信息。

H.6.2　表标识:GEO _ TDLY _ 25。

H.6.3　表编号:806。

H.6.4　表结构见表 H.6.4。

H.6.5　对象编码。见 H.1.5。

H.6.6　面积。土地利用元素面积。

H.6.7　周长。土地利用元素周长。

H.6.8　土地利用类型编码。见表 C.2.8。

H.6.9　空间要素存储字段。见 H.1.9。

表 H.6.4　土地利用(25 万)表

字 段 名	标 识 符	类型及长度	有无空值	单 位	主键	索引序号
对象编码	OBJECTID	N(4)	无		Y	1
面积	AREA	N(32,2)	无	m²		
周长	PERIMETER	N(32,2)	无	m		
土地利用类型编码	TDLYLXBM	N(3)	无			
空间要素存储字段	SHAPE	B	无			

H.7　坡向(25 万)表

H.7.1　坡向(25 万)表用来记录坡向 1:25 万比例尺下的相关信息。

H.7.2　表标识:GEO _ PX _ 25。

H.7.3　表编号:807。

H.7.4　表结构见表 H.7.4。

H.7.5　对象编码。见 H.1.5。

表 H.7.4　坡向(25 万)表

字 段 名	标 识 符	类型及长度	有无空值	单 位	主键	索引序号
对象编码	OBJECTID	N(4)	无		Y	1
面积	AREA	N(32,2)	无	m²		
周长	PERIMETER	N(32,2)	无	m		
坡向	PX	N(64,32)	无			
空间要素存储字段	SHAPE	B	无			

H.7.6 面积。坡向元素面积。

H.7.7 周长。坡向元素周长。

H.7.8 坡向。抽稀数据,按照空间数据格式存储。见 D.3.10。

H.7.9 空间要素存储字段。见 H.1.9。

H.8 水土保持生态工程项目区分布(25万)表

H.8.1 水土保持生态工程项目区分布(25万)表用来记录坡向
1:25万比例尺下的相关信息。

H.8.2 表标识:GEO_SBGCXMQ_25。

H.8.3 表编号:808。

H.8.4 表结构见表 H.8.4。

表 H.8.4 水土保持生态工程项目区分布(25万)表

字 段 名	标 识 符	类型及长度	有无空值	单 位	主键	索引序号
对象编码	OBJECTID	N(4)	无		Y	1
面积	AREA	N(32,2)	无	m²		
周长	PERIMETER	N(32,2)	无	m		
水土保持生态工程项目名称	SBSTXMMC	VC(30)	无			
空间要素存储字段	SHAPE	B	无			

H.8.5 对象编码。见 H.1.5。

H.8.6 面积。项目区元素面积。

H.8.7 周长。项目区元素周长。

H.8.8 水土保持生态工程项目名称。见 F.3.6。

H.8.9 空间要素存储字段。见 H.1.9。

H.9 坡度(10万)表

H.9.1 坡度(10万)表用来记录坡度 1∶10 万比例尺下的相关信息。

H.9.2 表标识:GEO_PD_10。

H.9.3 表编号:809。

H.9.4 表结构见表 H.9.4。

表 H.9.4 坡度(10万)表

字 段 名	标 识 符	类型及长度	有无空值	单 位	主键	索引序号
对象编码	OBJECTID	N(4)	无		Y	1
面积	AREA	N(32,2)	无	m²		
周长	PERIMETER	N(32,2)	无	m		
地面坡度编码	DMPDBM	C(4)	无			
空间要素存储字段	SHAPE	B	无			

H.9.5 对象编码。见 H.1.5。

H.9.6 面积。见 H.1.6。

H.9.7 周长。见 H.1.7。

H.9.8 地面坡度编码。见 H.1.8。

H.9.9 空间要素存储字段。见 H.1.9。

H.10 植被(10万)表

H.10.1 植被(10万)表用来记录植被 1∶10 万比例尺下的相关信息。

H.10.2 表标识:GEO_ZB_10。

H.10.3 表编号:810。

H.10.4 表结构见表 H.10.4。

表 H.10.4 植被(10万)表

字 段 名	标 识 符	类型及长度	有无空值	单 位	主键	索引序号
对象编码	OBJECTID	N(4)	无		Y	1
面积	AREA	N(32,2)	无	m²		
周长	PERIMETER	N(32,2)	无	m		
植被覆盖度编码	ZBFGDBM	C(4)	无			
空间要素存储字段	SHAPE	B	无			

H.10.5 对象编码。见 H.1.5。

H.10.6 面积。见 H.2.6。

H.10.7 周长。见 H.2.7。

H.10.8 植被覆盖度编码。见 H.2.8。

H.10.9 空间要素存储字段。见 H.1.9。

H.11 土壤侵蚀类型(10万)表

H.11.1 土壤侵蚀类型(10万)表用来记录土壤侵蚀类型 1:10万比例尺下的相关信息。

H.11.2 表标识:GEO_TRQSLX_10。

H.11.3 表编号:811。

H.11.4 表结构见表 H.11.4。

H.11.5 对象编码。见 H.1.5。

H.11.6 面积。见 H.3.6。

H.11.7 周长。见 H.3.7。

表 H.11.4 土壤侵蚀类型(10万)表

字 段 名	标 识 符	类型及长度	有无空值	单 位	主键	索引序号
对象编码	OBJECTID	N(4)	无		Y	1
面积	AREA	N(32,2)	无	m²		
周长	PERIMETER	N(32,2)	无	m		
土壤侵蚀类型编码	TRQSLXBM	C(4)	无			
土壤侵蚀强度编码	TRQSQDBM	C(4)	无			
空间要素存储字段	SHAPE	B	无			

H.11.8 土壤侵蚀类型编码。见 H.3.8。

H.11.9 土壤侵蚀强度编码。见 H.3.9。

H.11.10 空间要素存储字段。见 H.1.9。

H.12 地面组成物质(10万)表

H.12.1 地面组成物质(10万)表用来记录地面组成物质 1∶10万比例尺下的相关信息。

H.12.2 表标识:GEO_DMZCWZ_10。

H.12.3 表编号:812。

H.12.4 表结构见表 H.12.4。

H.12.5 对象编码。见 H.1.5。

H.12.6 面积。见 H.4.6。

H.12.7 周长。见 H.4.7。

H.12.8 地面组成物质编码。见 H.4.8。

H.12.9 空间要素存储字段。见 H.1.9。

表 H.12.4　地面组成物质(10万)表

字段名	标识符	类型及长度	有无空值	单位	主键	索引序号
对象编码	OBJECTID	N(4)	无		Y	1
面积	AREA	N(32,2)	无	m²		
周长	PERIMETER	N(32,2)	无	m		
地面组成物质编码	DMZCWZBM	C(4)	无			
空间要素存储字段	SHAPE	B	无			

H.13　水土保持类型区(10万)表

H.13.1　水土保持类型区(10万)表用来记录水土保持类型区1:10万比例尺下的相关信息。

H.13.2　表标识:GEO_STBCFQ_10。

H.13.3　表编号:813。

H.13.4　表结构见表 H.13.4。

表 H.13.4　水土保持类型区(10万)表

字段名	标识符	类型及长度	有无空值	单位	主键	索引序号
对象编码	OBJECTID	N(4)	无		Y	1
面积	AREA	N(32,2)	无	m²		
周长	PERIMETER	N(32,2)	无	m		
水土保持类型区编码	SBLXQBM	N(2)	无			
空间要素存储字段	SHAPE	B	无			

H.13.5 对象编码。见 H.1.5。

H.13.6 面积。见 H.5.6。

H.13.7 周长。见 H.5.7。

H.13.8 水土保持类型区编码。见 B.8.5。

H.13.9 空间要素存储字段。见 H.1.9。

H.14 土地利用(10万)表

H.14.1 土地利用(10万)表用来记录土地利用 1:10 万比例尺下的相关信息。

H.14.2 表标识:GEO_TDLY_10。

H.14.3 表编号:814。

H.14.4 表结构见表 H.14.4。

表 H.14.4 土地利用(10万)表

字 段 名	标 识 符	类型及长度	有无空值	单 位	主键	索引序号
对象编码	OBJECTID	N(4)	无		Y	1
面积	AREA	N(32,2)	无	m²		
周长	PERIMETER	N(32,2)	无	m		
土地利用类型编码	TDLYLXBM	N(3)	无			
空间要素存储字段	SHAPE	B	无			

H.14.5 对象编码。见 H.1.5。

H.14.6 面积。见 H.6.6。

H.14.7 周长。见 H.6.7。

H.14.8 土地利用类型编码。见表 C.2.8。

H.14.9 空间要素存储字段。见 H.1.9。

H.15 坡向(10万)表

H.15.1 坡向(10万)表用来记录坡向1:10万比例尺下的相关信息。

H.15.2 表标识:GEO _ PX _ 10。

H.15.3 表编号:815。

H.15.4 表结构见表 H.15.4。

表 H.15.4 坡向(10万)表

字 段 名	标 识 符	类型及长度	有无空值	单 位	主键	索引序号
对象编码	OBJECTID	N(4)	无		Y	1
面积	AREA	N(32,2)	无	m^2		
周长	PERIMETER	N(32,2)	无	m		
坡向	PX	N(64,32)	无			
空间要素存储字段	SHAPE	B	无			

H.15.5 对象编码。见 H.1.5。

H.15.6 面积。见 H.7.6。

H.15.7 周长。见 H.7.7。

H.15.8 坡向。抽稀数据,按照空间数据格式存储。见 D.3.10。

H.15.9 空间要素存储字段。见 H.1.9。

H.16 水土保持生态工程项目区分布(10万)表

H.16.1 水土保持生态工程项目区分布(10万)表用来记录坡向
1:10万比例尺下的相关信息。

H.16.2 表标识:GEO _ SBGCXMQ _ 10。

H.16.3 表编号:816。

H.16.4 表结构见表 H.16.4。

表 H.16.4 水土保持生态工程项目区分布(10万)表

字 段 名	标 识 符	类型及长度	有无空值	单 位	主键	索引序号
对象编码	OBJECTID	N(4)	无		Y	1
面积	AREA	N(32,2)	无	m^2		
周长	PERIMETER	N(32,2)	无	m		
水土保持生态工程项目名称	SBSTXMMC	VC(30)	无			
空间要素存储字段	SHAPE	B	无			

H.16.5 对象编码。见 H.1.5。

H.16.6 面积。见 H.8.6。

H.16.7 周长。见 H.8.7。

H.16.8 水土保持生态工程项目名称。见 F.3.6。

H.16.9 空间要素存储字段。见 H.1.9。

H.17 坡度(5万)表

H.17.1 坡度(5万)表用来记录坡度1:5万比例尺下的相关信息。

H.17.2 表标识:GEO _ PD _ 5。

H.17.3 表编号:817。

H.17.4 表结构见表 H.17.4。

H.17.5 对象编码。见 H.1.5。

H.17.6 面积。见 H.1.6。

H.17.7 周长。见 H.1.7。

H.17.8 地面坡度编码。见 H.1.8。

H.17.9 空间要素存储字段。见 H.1.9。

表 H.17.4　坡度(5 万)表

字 段 名	标 识 符	类型及长度	有无空值	单 位	主键	索引序号
对象编码	OBJECTID	N(4)	无		Y	1
面积	AREA	N(32,2)	无	m^2		
周长	PERIMETER	N(32,2)	无	m		
地面坡度编码	DMPDZCBM	C(4)	无			
空间要素存储字段	SHAPE	B	无			

H.18　植被(5 万)表

H.18.1 植被(5 万)表用来记录植被 1:5 万比例尺下的相关信息。

H.18.2 表标识:GEO _ ZB _ 5。

H.18.3 表编号:818。

H.18.4 表结构见表 H.18.4。

表 H.18.4　植被(5 万)表

字 段 名	标 识 符	类型及长度	有无空值	单 位	主键	索引序号
对象编码	OBJECTID	N(4)	无		Y	1
面积	AREA	N(32,2)	无	m^2		
周长	PERIMETER	N(32,2)	无	m		
植被类型	ZBLX	C(4)	无			
植被覆盖度编码	ZBFGDBM	C(4)	无			
空间要素存储字段	SHAPE	B	无			

H.18.5 对象编码。见 H.1.5。

H.18.6 面积。见 H.2.6。

H.18.7 周长。见 H.2.7。

H.18.8 植被类型。植被分类确定的植被类型。见 B.6.5。

H.18.9 植被覆盖度编码。见 H.2.8。

H.18.10 空间要素存储字段。见 H.1.9。

H.19 土壤侵蚀类型(5万)表

H.19.1 土壤侵蚀类型(5万)表用来记录土壤侵蚀类型 1:5 万比例尺下的相关信息。

H.19.2 表标识:GEO＿TRQSLX＿5。

H.19.3 表编号:819。

H.19.4 表结构见表 H.19.4。

表 H.19.4　土壤侵蚀类型(5万)表

字 段 名	标 识 符	类型及长度	有无空值	单 位	主键	索引序号
对象编码	OBJECTID	N(4)	无		Y	1
面积	AREA	N(32,2)	无	m^2		
周长	PERIMETER	N(32,2)	无	m		
土壤侵蚀类型编码	TRQSLXBM	C(4)	无			
土壤侵蚀强度编码	TRQSQDBM	C(4)	无			
空间要素存储字段	SHAPE	B	无			

H.19.5 对象编码。见 H.1.5。

H.19.6 面积。见 H.3.6。

H.19.7 周长。见 H.3.7。

H.19.8 土壤侵蚀类型编码。见 H.3.8。

H.19.9 土壤侵蚀强度编码。见 H.3.9。

H.19.10 空间要素存储字段。见 H.1.9。

H.20 地面组成物质(5 万)表

H.20.1 地面组成物质(5 万)表用来记录地面组成物质 1:5 万比例尺下的相关信息。

H.20.2 表标识:GEO _ DMZCWZ _ 5。

H.20.3 表编号:820。

H.20.4 表结构见表 H.20.4。

表 H.20.4 地面组成物质(5 万)表

字 段 名	标 识 符	类型及长度	有无空值	单 位	主键	索引序号
对象编码	OBJECTID	N(4)	无		Y	1
面积	AREA	N(32,2)	无	m²		
周长	PERIMETER	N(32,2)	无	m		
地面组成物质编码	DMZCWZBM	C(4)	无			
空间要素存储字段	SHAPE	B	无			

H.20.5 对象编码。见 H.1.5。

H.20.6 面积。见 H.4.6。

H.20.7 周长。见 H.4.7。

H.20.8 地面组成物质编码。见 H.4.8。

H.20.9 空间要素存储字段。见 H.1.9。

H.21 水土保持类型区(5万)表

H.21.1 水土保持类型区(5万)表用来记录水土保持类型区 1:5万比例尺下的相关信息。

H.21.2 表标识:GEO_STBCFQ_5。

H.21.3 表编号:821。

H.21.4 表结构见表 H.21.4。

表 H.21.4 水土保持类型区(5万)表

字 段 名	标 识 符	类型及长度	有无空值	单 位	主键	索引序号
对象编码	OBJECTID	N(4)	无		Y	1
面积	AREA	N(32,2)	无	m²		
周长	PERIMETER	N(32,2)	无	m		
水土保持类型区编码	SBLXQBM	N(2)	无			
空间要素存储字段	SHAPE	B	无			

H.21.5 对象编码。见 H.1.5。

H.21.6 面积。见 H.5.6。

H.21.7 周长。见 H.5.7。

H.21.8 水土保持类型区编码。见 B.8.5。

H.21.9 空间要素存储字段。见 H.1.9。

H.22 土地利用(5万)表

H.22.1 土地利用(5万)表用来记录土地利用 1:5万比例尺下的相关信息。

H.22.2　表标识:GEO_TDLY_5。

H.22.3　表编号:822。

H.22.4　表结构见表 H.22.4。

表 H.22.4　土地利用(5 万)表

字 段 名	标 识 符	类型及长度	有无空值	单 位	主键	索引序号
对象编码	OBJECTID	N(4)	无		Y	1
面积	AREA	N(32,2)	无	m^2		
周长	PERIMETER	N(32,2)	无	m		
土地利用类型编码	TDLYLXBM	N(3)	无			
空间要素存储字段	SHAPE	B	无			

H.22.5　对象编码。见 H.1.5。

H.22.6　面积。见 H.6.6。

H.22.7　周长。见 H.6.7。

H.22.8　土地利用类型编码。见表 C.2.8。

H.22.9　空间要素存储字段。见 H.1.9。

H.23　坡向(5 万)表

H.23.1　坡向(5 万)表用来记录坡向 1:5 万比例尺下的相关信息。

H.23.2　表标识:GEO_PX_5。

H.23.3　表编号:823。

H.23.4　表结构见表 H.23.4

H.23.5　对象编码。见 H.1.5。

H.23.6　面积。见 H.7.6。

H.23.7　周长。见 H.7.7。

表 H.23.4　坡向(5 万)表

字 段 名	标 识 符	类型及长度	有无空值	单 位	主键	索引序号
对象编码	OBJECTID	N(4)	无		Y	1
面积	AREA	N(32,2)	无	m²		
周长	PERIMETER	N(32,2)	无	m		
坡向	PX	N(64,32)	无			
空间要素存储字段	SHAPE	B	无			

H.23.8　坡向。抽稀数据,按照空间数据格式存储。见 D.3.10。

H.23.9　空间要素存储字段。见 H.1.9。

H.24　坡度(1 万)表

H.24.1　坡度(1 万)表用来记录坡度 1:1 万比例尺下的相关信息。

H.24.2　表标识:GEO＿PD＿1。

H.24.3　表编号:824。

H.24.4　表结构见表 H.24.4。

表 H.24.4　坡度(1 万)表

字 段 名	标 识 符	类型及长度	有无空值	单 位	主键	索引序号
对象编码	OBJECTID	N(4)	无		Y	1
面积	AREA	N(32,2)	无	m²		
周长	PERIMETER	N(32,2)	无	m		
地面坡度编码	DMPDZCBM	C(4)	无			
空间要素存储字段	SHAPE	B	无			

H.24.5 对象编码。见 H.1.5。

H.24.6 面积。见 H.1.6。

H.24.7 周长。见 H.1.7。

H.24.8 地面坡度编码。见 H.1.8。

H.24.9 空间要素存储字段。见 H.1.9。

H.25 植被(1万)表

H.25.1 植被(1万)表用来记录植被 1:1 万比例尺下的相关信息。

H.25.2 表标识:GEO_ZB_1。

H.25.3 表编号:825。

H.25.4 表结构见表 H.25.4。

表 H.25.4 植被(1万)表

字 段 名	标 识 符	类型及长度	有无空值	单 位	主键	索引序号
对象编码	OBJECTID	N(4)	无		Y	1
面积	AREA	N(32,2)	无	m²		
周长	PERIMETER	N(32,2)	无	m		
植被类型	ZBLX	C(4)	无			
植被覆盖度编码	ZBFGDBM	C(4)	无			
空间要素存储字段	SHAPE	B	无			

H.25.5 对象编码。见 H.1.5。

H.25.6 面积。见 H.2.6。

H.25.7 周长。见 H.2.7。

H.25.8　植被类型。见 B.6.5。

H.25.9　植被覆盖度编码。见 H.1.8。

H.25.10　空间要素存储字段。见 H.1.9。

H.26　土壤侵蚀类型(1 万)表

H.26.1　土壤侵蚀类型(1 万)表用来记录土壤侵蚀类型 1∶1 万比例尺下的相关信息。

H.26.2　表标识:GEO_TRQSLX_1。

H.26.3　表编号:826。

H.26.4　表结构见表 H.26.4。

表 H.26.4　土壤侵蚀类型(1 万)表

字 段 名	标 识 符	类型及长度	有无空值	单 位	主键	索引序号
对象编码	OBJECTID	N(4)	无		Y	1
面积	AREA	N(32,2)	无	m^2		
周长	PERIMETER	N(32,2)	无	m		
土壤侵蚀类型编码	TRQSLXBM	C(4)	无			
土壤侵蚀强度编码	TRQSQDBM	C(4)	无			
空间要素存储字段	SHAPE	B	无			

H.26.5　对象编码。见 H.1.5。

H.26.6　面积。见 H.3.6。

H.26.7　周长。见 H.3.7。

H.26.8　土壤侵蚀类型编码。见 H.3.8。

H.26.9 土壤侵蚀强度编码。见 H.3.9。

H.26.10 空间要素存储字段。见 H.1.9。

H.27 地面组成物质(1万)表

H.27.1 地面组成物质(1万)表用来记录地面组成物质 1∶1 万比例尺下的相关信息。

H.27.2 表标识:GEO_DMZCWZ_1。

H.27.3 表编号:827。

H.27.4 表结构见表 H.27.4。

表 H.27.4 地面组成物质(1万)表

字 段 名	标 识 符	类型及长度	有无空值	单 位	主键	索引序号
对象编码	OBJECTID	N(4)	无		Y	1
面积	AREA	N(32,2)	无	m²		
周长	PERIMETER	N(32,2)	无	m		
地面组成物质编码	DMZCWZBM	C(4)	无			
空间要素存储字段	SHAPE	B	无			

H.27.5 对象编码。见 H.1.5。

H.27.6 面积。见 H.4.6。

H.27.7 周长。见 H.4.7。

H.27.8 地面组成物质编码。见 H.4.8。

H.27.9 空间要素存储字段。见 H.1.9。

H.28　水土保持类型区(1万)表

H.28.1　水土保持类型区(1万)表用来记录水土保持类型区 1:1万比例尺下的相关信息。

H.28.2　表标识:GEO_STBCFQ_1。

H.28.3　表编号:828。

H.28.4　表结构见表H.28.4。

表 H.28.4　水土保持类型区(1万)表

字 段 名	标 识 符	类型及长度	有无空值	单 位	主键	索引序号
对象编码	OBJECTID	N(4)	无		Y	1
面积	AREA	N(32,2)	无	m^2		
周长	PERIMETER	N(32,2)	无	m		
水土保持类型区编码	SBLXQBM	N(2)	无			
空间要素存储字段	SHAPE	B	无			

H.28.5　对象编码。见 H.1.5。

H.28.6　面积。见 H.5.6。

H.28.7　周长。见 H.5.7。

H.28.8　水土保持类型区编码。见 B.8.5。

H.28.9　空间要素存储字段。见 H.1.9。

H.29　土地利用(1万)表

H.29.1　土地利用(1万)表用来记录土地利用 1:1万比例尺下的相关信息。

H.29.2　表标识:GEO_TDLY_1。

H.29.3　表编号:829。

H.29.4　表结构见表 H.29.4。

表 H.29.4　土地利用(1 万)表

字 段 名	标 识 符	类型及长度	有无空值	单 位	主键	索引序号
对象编码	OBJECTID	N(4)	无		Y	1
面积	AREA	N(32,2)	无	m^2		
周长	PERIMETER	N(32,2)	无	m		
土地利用类型编码	TDLYLXBM	N(3)	无			
空间要素存储字段	SHAPE	B	无			

H.29.5　对象编码。见 H.1.5。

H.29.6　面积。见 H.6.6。

H.29.7　周长。见 H.6.7。

H.29.8　土地利用类型编码。见表 C.2.8。

H.29.9　空间要素存储字段。见 H.1.9。

H.30　坡向(1 万)表

H.30.1　坡向(1 万)表用来记录坡向 1:1 万比例尺下的相关信息。

H.30.2　表标识:GEO_PX_1。

H.30.3　表编号:830。

H.30.4　表结构见表 H.30.4。

H.30.5　对象编码。见 H.1.5。

H.30.6　面积。见 H.7.6。

H.30.7　周长。见 H.7.7。

表 H.30.4 坡向(1 万)表

字 段 名	标 识 符	类型及长度	有无空值	单 位	主键	索引序号
对象编码	OBJECTID	N(4)	无		Y	1
面积	AREA	N(32,2)	无	m²		
周长	PERIMETER	N(32,2)	无	m		
坡向	PX	N(64,32)	无			
空间要素存储字段	SHAPE	B	无			

H.30.8 坡向。抽稀数据,按照空间数据格式存储。见 D.3.10。

H.30.9 空间要素存储字段。见 H.1.9。

H.31 水土保持措施布局(1 万)表(POINT)

H.31.1 水土保持措施布局(1 万)表(POINT)用来记录水土保持措施 1:1 万比例尺下的相关信息。

H.31.2 表标识:GEO _ SBCSPONT _ 1。

H.31.3 表编号:831。

H.31.4 表结构见表 H.31.4。

表 H.31.4 水土保持措施布局(1 万)表(POINT)

字 段 名	标 识 符	类型及长度	有无空值	单 位	主键	索引序号
对象编码	OBJECTID	N(4)	无		Y	1
水土保持措施名称(点)	SBCSMC1	VC(100)	无			
空间要素存储字段	SHAPE	B	无			

H.31.5 对象编码。见 H.1.5。

H.31.6 水土保持措施名称。空间对象对应水土保持点措施种类名称。

H.31.7 空间要素存储字段。见 H.1.9。

H.32 水土保持措施布局(1万)表(LINE)

H.32.1 水土保持措施布局(1万)表(LINE)用来记录水土保持措施 1:1 万比例尺下的相关线信息。

H.32.2 表标识:GEO_SBCSLINE_1。

H.32.3 表编号:832。

H.32.4 表结构见表 H.32.4。

表 H.32.4 水土保持措施布局(1万)表(LINE)

字 段 名	标 识 符	类型及长度	有无空值	单 位	主键	索引序号
对象编码	OBJECTID	N(4)	无		Y	1
长度	LENGTH	N(32,2)	无	m		
水土保持措施名称(线)	SBCSMC2	VC(100)	无			
空间要素存储字段	SHAPE	B	无			

H.32.5 对象编码。见 H.1.5。

H.32.6 长度。水土保持措施元素实际长度。

H.32.7 水土保持措施名称。空间对象对应水土保持线措施种类名称。

H.32.8 空间要素存储字段。见 H.1.9。

H.33 水土保持措施布局(1万)表(CIRCLE)

H.33.1 水土保持措施布局(1万)表(CIRCLE)用来记录水土保持措施1:1万比例尺下的相关面信息。

H.33.2 表标识:GEO _ SBCSCIRC _ 1。

H.33.3 表编号:833。

H.33.4 表结构见表H.33.4。

表 H.33.4 水土保持措施布局(1万)表(CIRCLE)

字 段 名	标 识 符	类型及长度	有无空值	单 位	主键	索引序号
对象编码	OBJECTID	N(4)	无		Y	1
面积(面)	AREA	N(32,2)	无	m²		
周长(面)	PERIMETER	N(32,2)	无	m		
水土保持措施名称(面)	SBCSMC3	VC(100)	无			
空间要素存储字段	SHAPE	B	无			

H.33.5 对象编码。见 H.1.5。

H.33.6 面积(面)。水土保持措施实际面积。

H.33.7 周长(面)。水土保持措施实际周长。

H.33.8 水土保持措施名称。空间对象对应水土保持面措施种类名称。

H.33.9 空间要素存储字段。见 H.1.9。

H.34 小流域界(1万)表

H.34.1 小流域界(1万)表用来记录黄河流域小流域界1:1万比

例尺下的相关信息。

H.34.2 表标识:GEO＿XLY＿1。

H.34.3 表编号:834。

H.34.4 表结构见表 H.34.4。

表 H.34.4 小流域界(1 万)表

字 段 名	标 识 符	类型及长度	有无空值	单 位	主键	索引序号
对象编码	OBJECTID	N(4)	无		Y	1
面积(小流域)	AREA	N(32,2)	无	m²		
周长(小流域)	PERIMETER	N(32,2)	无	m		
空间要素存储字段	SHAPE	B	无			

H.34.5 对象编码。见 H.1.5。

H.34.6 面积(小流域)。小流域实际面积。

H.34.7 周长(小流域)。小流域实际周长。

H.34.8 空间要素存储字段。见 H.1.9。

附录 I 数据字典

字 段 名	标 识 符	类型及长度	单 位	字段描述章节
"三同时"示范区数量	SFQ＿SL	N(5)	个	E.1.37
10分钟最大雨强	ZDYQ＿10	N(3,1)	mm/h	D.8.13
10年一遇降水量工程防御暴雨标准	FYBYBZ10	N(5,1)	mm	F.6.18
1月平均气温	JANQW	N(3,1)	℃	B.5.17
20年一遇降水量工程防御暴雨标准	FYBYBZ20	N(5,1)	mm	F.6.19
30分钟最大雨强	ZDYQ＿30	N(3,1)	mm/h	D.8.14
5分钟最大雨强	ZDYQ＿5	N(3,1)	mm/h	D.8.12
7月平均气温	JULQW	N(3,1)	℃	B.5.18
BOD5	BOD5	N(5,2)	mg/L	G.3.7
COD	COD	N(5,2)	mg/L	G.3.8
pH值	pH	N(5,2)		D.37.17
氨氮含量	AD	N(5,2)	mg/L	G.3.9
坝地	ZLCS＿BD	N(11,2)	hm^2	F.1.24
坝顶长	LHBBDC	N(6,2)	m	F.14.19
坝高	BG	N(3,1)	m	F.17.14
坝体安全	BTAQ	VC(200)		F.17.17
坝体方量	LHBBTFL	N(5,2)	万 m^3	F.14.20
颁布单位	BBDW	VC(30)		E.8.7
颁布时间	BBSJ	T		E.8.8
保水定额	BSDE	N(7,2)	m^3/hm^2	G.4.12
保土定额	BTDE	N(7,2)	t/hm^2	G.4.11
保土耕作	ZLCS＿BTGZ	N(11,2)	hm^2	F.1.16

字 段 名	标 识 符	类型及长度	单 位	字段描述章节
本方案新增投资	XZTZ	N(7,2)	万元	E.5.37
本期上报	BQSB	VC(400)		F.8.9
本期完成数量	BQWCSL	VC(400)		F.9.7
编制单位	BZDW	VC(30)		E.4.8
标语牌	BZP＿BYP	N(3)	个	F.13.21
标志牌	BZP＿BZP	N(3)	个	F.13.20
播种方法	BZFF	VC(30)		D.4.8
播种前耕翻深度	GFSD	N(2)	cm	D.4.7
播种日期	BZRQ	T		D.4.9
补偿费	BCF	N(7,2)	万元	E.5.39
补植补播面积	BZBBMJ	N(7,2)	hm^2	F.13.22
糙率	ZL	N(4,2)		D.25.20
草地	TDZY＿CD	N(11,2)	hm^2	B.4.12
测次	CC	N(2)		D.9.7
测点含水率	CDHSL	N(4,2)	%	D.9.10
测流段河流情况	CLDHLQK	VC(100)		D.25.21
测验方法	CYFF	VC(50)		D.25.10
测验设备名称	CYSB	VC(50)		D.3.15
测验时间	CYSJ	T		D.10.6
测验仪器	CYYQ	VC(30)		D.11.8
查处案件个数	CCAJ＿CCAJ	N(5)	件	E.1.32
产流定额	CLDE	N(7,2)	m^3/hm^2	G.4.9
产沙定额	CSDE	N(7,2)	t/hm^2	G.4.10
沉沙池	ZLCS＿CSD	N(6)	个	F.1.33
称号授予机构	CHSYJG	VC(30)		E.3.9
称号授予时间	CHSYSJ	T		E.3.8
承建单位	CJDW	VC(40)		F.7.8
城市降水蓄滞能力	CSJYXZNL	VC(400)		E.3.20
城市水土保持规划	CSSBGH	VC(100)		E.3.13

字 段 名	标 识 符	类型及长度	单 位	字段描述章节
城市水系绿化率	CSSXLHL	N(4,1)	%	E.3.23
城市周边开山、取石、挖沙管理	CSZBGL	VC(300)		E.3.19
持证监督人员数	JDRY_CZRY	N(6)	人	E.1.11
冲击力	CJL	N(9,2)	N	D.36.16
初中毕业人口数	RKSZ_CZ	N(8,2)	万人	C.1.21
垂线平均含水率	CXPJHSL	N(4,2)	%	D.9.11
大肠杆菌数量	DCGJ	N(5,2)	个/mL	G.3.12
大风日数	DFRS	N(3)	d	B.5.24
大气温度	DQWD	N(4,2)	℃	D.31.12
大牲畜数	SXTS_DSX	N(7)	万头	C.3.15
大型水库	SK_DX	N(7)	座	F.2.9
大于等于10度积温	SDJW	N(5,1)	℃	B.5.21
大专毕业人口数	RKSZ_DZ	N(8,2)	万人	C.1.23
大专及以上毕业人口数	RKSZ_DZYS	N(8,2)	万人	C.1.24
单位工程合格率	DWGC_HGL	VC(40)		F.9.15
单位工程优良率	DWGC_YLL	VC(40)	%	F.9.16
单位工程质量评定数量	DWGC_SL	N(4)	个	F.9.14
单位库容投资	DWKRTZ	N(6,2)	元/m^3	F.14.48
单位拦泥投资	DWLNTZ	N(6,2)	元/m^3	F.14.49
单位面积径流量	DWMJJLL	N(8,2)	m^3/km^2	D.26.21
单位面积输沙量(t)	DWMJSSLT	N(6,2)	t/km^2	D.26.23
单位面积输沙量(m^3)	DWMJSSLF	N(6,2)	m^3/km^2	D.26.24
单位淤地面积拦泥	DWYDMJLN	N(7,2)	m^3/hm^2	F.14.51
单位淤地投资	DWYDTZ	N(7,2)	元/hm^2	F.14.50
单元工程合格率	DYGC_HGL	VC(40)		F.9.9
单元工程优良率	DYGC_YLL	VC(40)	%	F.9.10
单元工程质量评定数量	DYGC_SL	N(4)	个	F.9.8
档案资料管理	DAZLGL	VC(400)		E.3.24

字 段 名	标 识 符	类型及长度	单 位	字段描述章节
道路	ZLCS_DL	N(6)	km	F.1.43
地表水	SZY_DBS	N(14,2)	m³	B.4.16
地方年度计划投资	NDJH_DF	N(8,2)	万元	F.10.9
地方实际到位资金	SJDW_DF	N(8,2)	万元	F.10.12
地方投资	DFTZ	N(9,2)	万元	F.4.15
地貌类型	DMLX	VC(40)		E.5.20
地面组成物质	DMZCWZ	VC(80)		A.3.15
地温	DW	N(4,2)	℃	D.32.8
地下水	SZY_DXS	N(14,2)	m³	B.4.17
地址	DZ	VC(30)		D.2.8
调查日期	DCRQ	T		D.39.8
冻结日期	DJRQ	T		D.31.16
冻土厚度	DTHD	N(5,2)	m	B.5.31
洞身长度	SSDDSCD	N(6,2)	m	F.14.24
断面面积	DMMJ	N(6,2)	m²	D.25.13
断面位置	DMWZ	VC(30)		D.25.9
对应的文件	DYWJ	VC(100)		A.15.8
多媒体文件序号	DMTBM	N(4)		A.15.7
多年平均大风日数	DNPJDFRS	N(3)	d	F.6.11
多年平均气温	PJQW	N(3,1)	℃	F.6.12
发源地	FYD	VC(40)		A.3.17
法规标准名称	FGBZMC	VC(100)		E.8.5
法规标准文号(编号)	FGBZWH	VC(30)		E.8.6
法院执行个数	CCAJ_FYZX	N(5)	件	E.1.33
返还治理面积	FHZL_ZLMJ	N(5)	km²	E.1.36
返还治理数量	FHZL_SL	N(5)	个	E.1.35
返还治理投资	FHZL_TZ	N(5,2)	万元	E.1.34
方案目标值	FAMBZ	N(10,2)	t/(km²·a)	E.5.26
方案实施期	FASSQ	VC(30)		E.5.43

字 段 名	标 识 符	类型及长度	单 位	字段描述章节
方案总投资	FAZTZ	N(7,2)	万元	E.4.6
防风防沙林带	ZLCS_FFFSLD	N(8)	m	F.1.40
防洪保护效益	XYFHBH	N(6,2)	hm²	F.14.43
防治费	FZF	N(7,2)	万元	E.5.38
放牧情况	FMQK	N(1)		D.6.8
放水设施宽×高	FSSSKG	VC(20)		F.14.30
放水设施每台高度	FSSSMTGD	N(4,2)	m	F.14.29
放水设施型式	FSSSXS	VC(20)		F.14.27
放水设施直径	FSSSZJ	N(4,2)	m	F.14.31
放水设施总高度	FSSSZGD	N(5,2)	m	F.14.28
分布范围	FBFW	VC(200)		B.6.6
分布面积	FBMJ	N(8,2)	km²	B.3.11
分部工程合格率	FBGC_HGL	VC(40)		F.9.12
分部工程优良率	FBGC_YLL	VC(40)	%	F.9.13
分部工程质量评定数量	FBGC_SL	N(4)	个	F.9.11
风速	FS	N(5,2)	m/s	D.27.10
风向	FX	VC(20)		D.27.11
封冻期起时	FQKS	T		B.5.29
封冻期止时	FQJS	T		B.5.30
封禁治理面积	ZLCS_FJZL	N(11,2)	hm²	F.1.23
抚育面积	FYMJ	N(7,2)	hm²	F.13.23
副业产值	CZ_FU	N(10,2)	万元	C.3.13
干燥度	GZD	N(5,2)		B.5.23
钢材量	GC	N(7,2)	t	F.6.57
高中毕业人口数	RKSZ_GZ	N(8,2)	万人	C.1.22
工程等级	GCDJ	VC(20)		E.5.7
工程名称	GCMC	VC(30)		F.14.6
工程所在流域	SZLY	VC(80)		E.5.8
工程围栏	WL_GC	N(5)	m	F.13.15

字 段 名	标 识 符	类型及长度	单 位	字段描述章节
工程位置	GCWZ	VC(20)		F.14.10
工程项目质量评定结果	XMZLPDJG	VC(4)		F.9.17
工程验收参加单位	GCYSCJDW	VC(100)		E.6.8
工程验收阶段	GCYSJD	VC(20)		E.6.6
工程验收主持单位	GCYSZCDW	VC(20)		E.6.7
工程总工期	GCZGQ	VC(30)		E.5.10
工程总投资	GCZTZ	N(7,2)	万元	E.5.9
沟床纵比降	GCZBJ	N(4,2)	%	D.36.14
沟壑密度	GHMD	VC(20)	km/km^2	B.8.8
沟头防护	ZLCS_GTFH	N(6)	处	F.1.25
谷坊	ZLCS_GF	N(6)	座	F.1.26
骨干坝	ZLCS_DXYDB	N(6)	座	F.1.27
骨干坝控制面积	GGGC_KZMJ	N(10,2)	km^2	F.2.16
骨干坝已淤积库容	GGGC_YYJKR	N(10,2)	万 m^3	F.2.18
骨干坝总库容	GGGC_ZKR	N(10,2)	万 m^3	F.2.17
骨干坝座数	GGGC_ZS	N(5)	座	F.2.15
固沙草带	ZLCS_GSCD	N(8)	m	F.1.41
观测断面编号	GCDMBH	C(4)		D.36.8
观测后沙尘量	HJSL	N(5,2)	kg	D.29.14
观测结束时间	GCJSSJ	T		D.25.8
观测开始时间	GCKSSJ	T		D.25.7
观测年份	GCNF	C(4)		D.13.6
观测期地下水位	GC_QDXSW	N(5,2)	m	D.33.12
观测期冻土位移	GC_QDTWY	N(5,2)	cm	D.31.14
观测期降水历时	GCQJSLS	N(4,2)	h.min	D.31.10
观测期降水量	GCQJSL	N(4,1)	mm	D.31.11
观测期桩的位置	GC_QZW	N(3,1)	mm	D.34.10
观测前地下水位	GC_QQDXSW	N(5,2)	m	D.33.11
观测前冻土位移	GC_QQDTWY	N(5,2)	cm	D.31.13

字 段 名	标 识 符	类型及长度	单 位	字段描述章节
观测前沙尘量	QJSL	N(5,2)	kg	D.29.13
观测前桩的位置	GC＿QQZW	N(3,1)	mm	D.34.9
观测日期	GCRQ	T		D.11.6
观测时间	GCSJ	T		D.15.6
观测项目	GCXM	VC(20)		D.1.14
观测月份	GCYF	C(6)		D.12.6
管护单位人员	GHDW＿RY	N(3)	人	F.13.14
管护员数	JDRY＿GHY	N(6)	人	E.1.10
管理制度数量	FG＿GLZD	N(5)	个	E.1.21
灌溉效益	XYGG	N(6,2)	hm^2	F.14.44
灌木林	ZLCS＿GML	N(11,2)	hm^2	B.4.20
规章和规范性文件	GZZLCS＿GFWJ	VC(400)		E.3.11
果园	ZLCS＿GY	N(11,2)	hm^2	F.1.20
含沙量	HSHAL	N(5,2)	kg/m^3	D.8.19
含水量	HSL	N(4,2)	%	D.28.8
含水率	TRXZ＿HSL	N(5,2)	%	D.37.12
河口高程	HKGC	N(6,2)	m	A.3.12
河流长度	HLC	N(6,2)	km	A.3.14
河流名称	HLMC	VC(60)		D.39.6
河源高程	HYGC	N(6,2)	m	A.3.13
核查结果	HCJG	VC(400)		F.8.11
洪水编号	HSH	N(4)		D.26.6
洪水输沙量(t)	SSLT	N(9,2)	t	D.26.15
洪水输沙量(m^3)	SSLF	N(9,2)	m^3	D.26.16
洪水总历时	HSLS	N(5)	h.min	D.26.14
洪水总量	HSZL	N(9,1)	m^3	D.26.11
后期插针上余量	HCZSYL	N(6,2)	cm	D.27.13
滑坡编号	HPBH	C(2)		D.33.8
化肥Ⅰ	HF1	VC(20)		G.3.13

字段名	标识符	类型及长度	单位	字段描述章节
化肥Ⅰ用量	HF1YL	N(7,2)	kg	G.3.14
化肥Ⅱ	HF2	VC(20)		G.3.15
化肥Ⅱ用量	HF2YL	N(7,2)	kg	G.3.16
荒草密度分布情况	HCMDFB	VC(50)		D.6.7
荒草种类名称	HCMC	VC(30)		D.6.6
混交方式	HJFS	VC(30)		D.7.8
混凝土量	HNT	N(11,2)	m³	F.6.54
机械施工量	JXSGL	N(9,2)	台班	F.6.65
机械组成	JXZC	VC(30)		D.37.18
基本水尺水位	JBSCSW	N(4,2)	m	D.25.11
基本特征	JBTZ	VC(1200)		B.2.8
极强度侵蚀	JQDMJ	N(9,2)	km²	D.40.12
计划保护面积	JHBHMJ	N(8,2)	km²	E.2.11
技术规范数量	FG_JSZLCS_GF	N(5)	个	E.1.20
技术评估意见	JSPGYJ	VC(4000)		E.6.10
家禽饲养数	SXTS_JIAQIN	N(7)	万只	C.3.18
兼职监督人员数	JDRY_JZ	N(6)	人	E.1.9
监测点编码	JCDBM	C(13)		D.2.5
监测点布设	JCDBS	N(3)	个	F.13.24
监测点名称	JCDMC	VC(30)		D.2.6
监测方法	JCFF	VC(50)		G.1.10
监测费	JCF	N(7,2)	万元	E.5.40
监测工人数	JCRY_GR	N(6)	人	E.1.17
监测技术人员数	JCRY_JSRY	N(6)	人	E.1.15
监测结果	JCJG	B		G.1.11
监测内容(林草植被)	JCNRLC	VC(100)		G.1.6
监测内容(小气候)	JCNRQH	VC(100)		G.2.7
监测时间	JCSJ	T		D.37.7
监测项目	JCXM	VC(50)		D.2.9

字 段 名	标 识 符	类型及长度	单 位	字段描述章节
监测行政人员数	JCRY ＿ XZRY	N(6)	人	E.1.16
监理单位	JLDW	VC(400)		F.11.11
监理费	JLF	N(7,2)	万元	E.5.41
监理结果	JLJG	VC(400)		F.8.10
减少水土流失总量	JSSTZL	N(7,2)	t	E.5.17
建设单位	JSDW	VC(400)		E.5.12
建设地点	JSDD	VC(40)		E.4.11
建设规模	JSGM	VC(400)		F.4.18
建设内容	JSNR	VC(400)		F.4.19
建设期	JSQ	VC(20)		F.4.17
建设期限	JSQX	VC(40)		F.6.7
建设性质	JSXZ	VC(20)		F.14.11
建站时间	JZSJ	T		D.1.15
降沙量	JSHAL	N(5,2)	kg	D.29.15
降水次序	JSCX	N(3)		D.14.6
降水结束时间	JSJSSJ	T		D.8.8
降水开始时间	JSKSSJ	T		D.8.7
降水历时	JYLS	N(5,2)	h	D.8.9
降水量	JSL	N(3)	mm	D.8.10
降水量 6~9 月	JSL6 ＿ 9	N(4)	mm	B.5.11
降水起讫时间	JYQQSJ	VC(30)		D.14.7
截水沟	ZLCS ＿ JSG	N(8)	m	F.1.31
解冻日期	JDRQ	T		D.31.17
解决人口饮水	XYRCRSR	N(5)	人	F.14.46
解决牲畜饮水	XYRCRST	N(5)	头	F.14.47
界桩	BZP ＿ JZ	N(3)	个	F.13.19
经度	JD	VC(21)	度分秒 – 度分秒	A.4.6
经果林	SWZY ＿ JGL	N(11,2)	hm^2	B.4.21

字　段　名	标　识　符	类型及长度	单　位	字段描述章节
经济净现值	JJJXZ	N(7,2)	万元	F.6.75
经济林	ZLCS_JJL	N(11,2)	hm²	F.1.19
经济效益	JJXY	N(7,2)	万元	F.6.73
径流次序	JLCX	N(3)		D.8.6
径流起流时间	JLQLSJ	T		D.8.15
径流系数	JLXS	N(4,2)	%	D.8.18
径流小区类型	XQLX	C(2)		D.3.6
径流止流时间	JLZLSJ	T		D.8.16
居民地面积	DBZC_JMD	N(8,2)	km²	B.10.14
具体区域编码	BM	VC(12)		A.15.6
具体区域编码1	BM1	VC(12)		B.1.7
具体区域编码2	BM2	VC(12)		B.1.9
剧烈侵蚀	JLMJ	N(9,2)	km²	D.40.13
绝对最低气温	MINQW	N(3,1)	℃	B.5.20
绝对最高气温	MAXQW	N(3,1)	℃	B.5.19
竣工时间	JGSJ	T		F.14.53
开工时间	KGSJ	T		F.14.52
开始观测时间	KSGCSJ	T		D.3.16
开始时间	KSSJ	T		E.3.6
抗蚀性	KSX	N(5,2)	%	D.37.19
可绿化面积	KLHMJ	N(10,2)	hm²	E.5.31
可淤面积	KYMJ	N(5,2)	hm²	F.14.15
空间尺度	KJCD	C(2)		A.15.5
空间尺度1	KJCD1	C(2)		B.1.6
空间尺度2	KJCD2	C(2)		B.1.8
孔隙率	KXL	N(5,2)	%	D.37.11
控制比	KZB	N(5,2)	%	E.5.28
控制流域面积	KZLY	N(8,2)	km²	D.1.13
控制率	KZL	N(5,2)	%	E.5.19

字 段 名	标 识 符	类型及长度	单 位	字段描述章节
控制面积	KZMJ	N(4,2)	km^2	F.14.12
枯落物厚度	KLWHD	N(3,1)	cm	D.7.13
拦河坝投资	LHBTZ	N(5,2)	万元	F.14.22
拦河坝型式	LHBXS	VC(20)		F.14.17
拦泥库容	LNKR	N(5,2)	万 m^3	F.14.14
拦渣率	LZL	N(5,2)	%	E.5.30
类型区特征	LXQTZ	VC(400)		B.8.7
累计降水量	LJJSL	N(4,1)	mm	D.10.8
累计资金到位情况	ZJDW＿LJ	N(9,2)	万元	F.4.21
粮食总产量	LSZC	N(10,2)	万 t	C.3.19
两测次间降水量	LCCJSL	N(4,1)	mm	D.9.12
两费总支出	SFFK＿ZC	N(7,2)	万元	E.1.30
林地	TDZY＿LD	N(11,2)	hm^2	B.4.11
林龄	LDLL	N(3)	a	D.7.9
林业产值	CZ＿LIN	N(10,2)	万元	C.3.11
领导机构	LDJG	VC(400)		F.11.7
流动压力	LDYL	N(7,2)	N/cm^2	D.36.15
流量	LL	N(5,2)	m^3/s	D.10.10
流速	NSLLS	N(5,2)	m/s	D.36.13
流态	NSLLT	VC(20)		D.36.10
流域不对称系数	LYBDCXS	N(4,2)		A.3.8
流域面积	LYMJ	N(8,2)	km^2	A.3.18
流域涉及类型区	LYSJLX	VC(40)		A.3.16
流域涉及行政区域	LYSJXZQ	VC(100)		A.3.9
流域形状系数	LYXZXS	N(4,2)		A.3.10
轮封轮牧	LFLM	N(7,2)	hm^2	F.13.17
落水历时	LSLS	N(5)	h.min	D.26.13
煤储藏量	KZZY＿MEI	N(15,2)	t	B.4.24
密度	TRXZ＿MO	N(5,2)	g/cm^3	D.37.10

字 段 名	标 识 符	类型及长度	单 位	字段描述章节
苗圃	ZLCS _ MP	N(11,2)	hm^2	F.1.21
牧草名称	MCMC	VC(30)		D.5.6
牧业产值	CZ _ MU	N(10,2)	万元	C.3.12
内部收益率	NBSYL	N(4,2)	%	F.6.76
泥面宽度	NMKD	N(7,2)	cm	D.36.11
泥深	NSLNS	N(6,2)	cm	D.36.9
泥石流编号	NSLBH	C(2)		D.35.8
泥石流径流量	NSLJLL	N(8,2)	m^3	D.36.18
泥石流流量	NSLLL	N(7,2)	L/s	D.36.17
年初霜出现日期	NCSCXRQ	T		D.13.12
年初雪出现日期	NCXCXRQ	T		D.13.14
年度计划	NDJH	VC(400)		F.8.8
年度计划完成情况	NDJHWCQK	VC(400)		F.8.13
年度完成情况	WCQK _ ND	VC(400)		F.4.22
年度资金到位情况	ZJDW _ ND	N(9,2)	万元	F.4.20
年降水量	NJSL	N(5,1)	mm	D.13.7
年降水日数	NJSRS	N(3)	d	D.13.8
年径流量	NJLL	N(13,2)	m^3	D.18.12
年径流模数	NJLMS	N(7,2)	m^3/(km^2·a)	D.18.13
年径流深度	NJLSD	N(5,1)	mm	D.18.14
年均风速	NJFS	N(5,2)	m/s	B.5.25
年均机械用量	NJJXYL	N(7,2)	台班	F.6.66
年均用工日	NJYGR	N(7,2)	万工日	F.6.63
年拦泥沙能力	NLNSNL	N(7,2)	万 t	F.6.70
年劳均出工日	NLJCGR	N(7,2)	工日	F.6.64
年平均含沙量	NPJHSHAL	N(5,2)	kg/m^3	D.21.9
年平均流量	NPJLL	N(6,2)	m^3/s	D.18.11
年平均输沙率	NPJSSHAL	N(5,2)	kg/s	D.21.8
年日照时数	NRZSS	N(4)	h	B.5.28

字 段 名	标 识 符	类型及长度	单 位	字段描述章节
年输沙量	NSSHAL	N(13,2)	t	D.24.9
年输沙模数	NSSHAMS	N(7,2)	$t/(km^2 \cdot a)$	D.24.11
年蓄水量	NXSL	N(7,2)	万 t	F.6.71
年一次最大降水量	NYCZDJSL	N(4,1)	mm	D.13.10
年一次最大降水量历时	NYCZDJSS	N(5,2)	h	D.13.11
年终霜出现日期	NZSCXRQ	T		D.13.13
年终雪出现日期	NZXCXRQ	T		D.13.15
年总辐射量	ZFSL	N(7,2)	J/cm^2	B.5.32
年最大断面平均含沙量	NZDDMHSL	N(5,2)	kg/m^3	D.21.10
年最大断面平均含沙量日期	NZDDMRQ	T		D.21.11
年最大流量	NZDLL	N(6,2)	m^3/s	D.18.7
年最大流量日期	NZDLLRQ	T		D.18.8
年最大日降水量	NZDRL	N(4,1)	mm	D.13.9
年最大日平均输沙率	NZDRPJSS	N(6,2)	kg/s	D.24.7
年最大日平均输沙率日期	NZDRPJRQ	T		D.24.8
年最小断面平均含沙量	NZXDMHSL	N(5,2)	kg/m^3	D.21.12
年最小断面平均含沙量日期	NZXDMRQ	T		D.21.13
年最小流量	NZXLL	N(6,2)	m^3/s	D.18.9
年最小流域日期	NXZLLRQ	T		D.18.10
农村人口密度	RKMD _ NONG	N(6,2)	人$/km^2$	C.1.26
农地	TDZY _ ND	N(11,2)	hm^2	B.4.10
农药Ⅰ	NY1	VC(20)		G.3.17
农药Ⅰ用量	NY1YL	N(7,2)	kg	G.3.18
农药Ⅱ	NY2	VC(20)		G.3.19
农药Ⅱ用量	NY2YL	N(7,2)	kg	G.3.20

字 段 名	标 识 符	类型及长度	单 位	字段描述章节
农业产值	CZ _ NONG	N(10,2)	万元	C.3.10
农业劳力数合计	NYLL _ HJ	N(8,2)	万人	C.1.17
农业劳力增长率	NYLL _ ZZL	N(4,2)	%	C.1.18
农业男劳力数	NYLL _ NAN	N(8,2)	万人	C.1.15
农业女劳力数	NYLL _ NU	N(8,2)	万人	C.1.16
农业人均产值	NYRJCL	N(8,2)	元/人	C.3.21
农业人均收入	NYRJSR	N(8,2)	元/人	C.3.22
农业人口数	NYRK	N(8,2)	万人	C.1.13
排水沟	ZLCS _ PSG	N(8)	m	F.1.32
培训上岗人员数	JDRY _ PXSG	N(6)	人	E.1.12
批复时间	PFSJ	T		E.4.10
平均比降	PJBJ	N(4,2)	‰	A.3.7
平均含沙量	PJHSHAL	N(5,2)	kg/m^3	D.26.20
平均流量	PJLL	N(5,2)	m^3/s	D.26.18
平均流速	PJLS	N(4,2)	m/s	D.25.15
平均强度	PJQD	N(3,1)	mm/h	D.26.10
平均水深	PJSS	N(3,1)	m	D.25.17
平均无霜期	PJWSQ	N(3)	d	B.5.22
坡长	PC	N(5,2)	m	D.3.11
坡度	PD	N(4,2)	°	D.3.9
坡度大于 35°	PDZC _ 35	N(8,2)	km^2	B.1.15
坡度介于 15°~25°	PDZC15 _ 25	N(8,2)	km^2	B.1.13
坡度介于 25°~35°	PDZC25 _ 35	N(8,2)	km^2	B.1.14
坡度介于 5°~8°	PDZC5 _ 8	N(8,2)	km^2	B.1.11
坡度介于 8°~15°	PDZC8 _ 15	N(8,2)	km^2	B.1.12
坡度小于 5°	PDZC _ 5	N(8,2)	km^2	B.1.10
坡宽	PK	N(4,1)	m	D.3.12

字 段 名	标 识 符	类型及长度	单 位	字段描述章节
坡向	PX	N(5,2)		D.3.10
其他产值	CZ_QT	N(10,2)	万元	C.3.14
其他费用	QTFY	N(7,2)	万元	E.5.42
其他矿藏资源储藏量	KZZY_QT	N(10,2)	t	B.4.29
其他水保措施	QTSBCS	V(50)		F.1.44
其他水保工程	QTSBGC	N(8)	座(处)	F.2.26
弃渣场及取料场工程	QZCQLCGC	VC(100)		E.5.29
前期插针上余量	QCZSYL	N(6,2)	cm	D.27.12
前期工作阶段	QQJD	VC(20)		F.5.6
前期降水量	QQJSL	N(4,1)	mm	D.27.9
前期降水日期	QQJSRQ	T		D.27.8
强度侵蚀	QIANGDMJ	N(9,2)	km^2	D.40.11
乔木林	ZLCS_QML	N(11,2)	hm^2	B.4.19
侵蚀量	QSL	N(5,2)	t/km^2	D.8.20
轻度侵蚀	QDMJ	N(9,2)	km^2	D.40.9
取样地编号	QYDBH	N(4)		D.9.6
取样深度	QYSD	N(3)	cm	D.9.9
取样时间	QYSJ	T		D.9.8
全次雨强	QCYQ	N(3,1)	mm/h	D.8.11
群众年度计划投资	NDJH_QZ	N(8,2)	万元	F.10.10
群众实际到位资金	SJDW_QZ	N(8,2)	万元	F.10.13
群众投资	QZTZ	N(9,2)	万元	F.4.16
扰动地表面积	RDDBMJ	N(10,2)	km^2	E.5.14
扰动土地治理率	RDTDZLL	N(5,2)	%	E.5.18
人工	RG	N(5,2)	万工日	F.14.38
人工种草	SWZY_RGCD	N(11,2)	hm^2	B.4.23
人均粮食	RJLS	N(6,2)	kg/人	C.3.20

字 段 名	标 识 符	类型及长度	单 位	字段描述章节
人均占有公共绿地面积	RJZYLD	N(3,1)	m²	E.3.22
人口密度	RKMD _ SUM	N(6,2)	人/km²	C.1.25
人口增长率	RK _ ZZL	N(4,2)	‰	C.1.14
人字闸	ZLCS _ RZZ	N(6)	座	F.1.38
日降水量	RJSL	N(4,1)	mm	D.11.7
日平均流量	RPJLL	N(6,2)	m³/s	D.16.7
容重	RZ	N(6,2)	kg/m³	D.32.9
森林覆盖率	SLFGL	N(4,1)	%	E.3.21
沙尘暴日数	SCBRS	N(3)	d	B.5.27
沙障固沙	ZLCS _ SZGS	N(6)	hm²	F.1.39
沙质面积	DBZC _ SHAZ	N(8,2)	km²	B.10.13
上游集水面积	SYJSMJ	N(7,2)	km²	D.39.7
舍饲圈养	SSJY	N(5)	只	F.13.18
设计单位名称	SJDW _ MC	VC(20)		F.5.8
设计单位资质	SJDW _ ZZ	VC(20)		F.5.9
涉及支流	SJLY	VC(60)		B.8.6
申报单位	SBDW	VC(30)		F.5.7
审批单位	SPDW	VC(40)		F.4.12
审批时间	SPSJ	T		F.5.11
审批水土保持方案	FASP _ SPFA	N(5)	项	E.1.25
审批文号	SPWH	VC(20)		F.5.12
渗透率	STL	N(5,2)	mm/min	D.37.20
生态修复工程编码	STXFGCBM	C(12)		F.13.5
生态修复工程名称	STXFGCMC	VC(30)		F.13.6
省级水土流失分区公告	GG	VC(200)		E.5.21
剩余坝高	SYBG	N(3,1)	m	F.17.16
剩余库容	SYKR	N(5,2)	万 m³	F.17.11

字 段 名	标 识 符	类型及长度	单 位	字段描述章节
施测号数	SCHS	N(4)		D.25.6
施工单位	SGDW	VC(400)		F.11.10
施工方式	LHBSZLCS_GFS	VC(20)		F.14.21
石方	SF	N(11,2)	万 m³	F.6.54
石油储藏量	KZZY_SY	N(15,2)	t	B.4.25
石质面积	DBZC_SZ	N(8,2)	km²	B.10.10
时段降水量	SDJSL	N(4,1)	mm	D.10.7
实报水土保持方案	FASP_SBFA	N(5)	项	E.1.24
实测最大 24h 降水量	JYLMAX	N(4,1)	mm	F.6.10
实施办法数量	FG_SSBF	N(5)	个	E.1.18
实施水土保持方案	FASP_SSFA	N(5)	项	E.1.26
实征水土保持补偿费	SZSBBCF	N(7,2)	万元	E.3.17
市级水土保持领导协调机构	LDXTJC	VC(200)		E.3.10
收费规定数量		N(5)	个	E.1.19
收割次数及时间		(50)		D.5.9
收割日期				D.4.11
输沙量			t	D.36.19
输沙率			kg/s	D.15.10
输水洞宽×高		(5)		F.14.25
输水洞型式		VC(20)		F.14.23
输水洞直径		N(4,2)	m	F.14.26
树高	S	N(3,1)	m	D.7.11
树苗数	SMS	N(7,2)	万株	F.6.60
树种	SZ	VC(30)		D.7.6
水浇地	ZLCS_SD	N(11,2)	hm²	F.1.15
水窖	ZLCS_SJ	N(6)	眼	F.1.35

字 段 名	标 识 符	类型及长度	单 位	字段描述章节
水库控制面积	SK＿KZMJ	N(9,2)	km²	F.2.12
水库淤积库容	SK＿YJKR	N(10,2)	万 m³	F.2.14
水库总库容	SK＿ZKR	N(10,2)	万 m³	F.2.13
水面比降	SMBJ	N(3,1)		D.25.19
水面宽	SMK	N(4,1)	m	D.25.16
水面面积	DBZC＿SM	N(8,2)	km²	B.10.15
水泥量	SN	N(9,2)	t	F.6.56
水深	SS	N(3,2)	m	D.8.17
水土保持措施防治面积	FZMJ	N(10,2)	km²	E.5.22
水土保持方案编码	FABM	C(8)		E.4.5
水土保持类型区编码	SBLXQBM	C(5)		B.8.5
水土保持生态工程项目编码	SBSTXMBM	C(12)		F.3.5
水土保持宣传	SBXC	VC(200)		E.3.12
水土保持总投资	SBZTZ	N(7,2)	万元	E.5.35
水土流失背景值	STLSBJZ	N(10,2)	t/(km²·a)	E.5.25
水土流失控制率	STLSKZL	N(4,1)	%	E.3.18
水土流失面积	STLSMJ	N(7,2)	km²	F.1.11
水土流失特点	LSTD	VC(500)		B.8.11
水土流失预测总量	LSZL	N(7,2)	t	E.5.16
水位	SW	N(3,2)	m	D.10.9
水文站编码	SWZBM	C(9)		D.1.5
水文站类型	SWZLX	C(2)		D.1.12
水文站名称	SWZMC	VC(30)		D.1.6
水文站位置	SWZWZ	VC(30)		D.1.7
水系名	SXM	VC(20)		F.14.8
水域	TDZY＿SY	N(11,2)	hm²	B.4.13
水资源总量	SZY＿ZL	N(15,2)	m³	B.4.18

字 段 名	标 识 符	类型及长度	单 位	字段描述章节
所在河流	HM	VC(30)		D.1.9
所属保护区名称	BHQMC	VC(40)		F.13.7
所属单位	SSDW	VC(20)		D.1.16
所属监测机构	JCJGBM	VC(30)		D.2.7
塘坝	ZLCS _ TB	N(5)	座	F.1.36
梯田	ZLCS _ TT	N(11,2)	hm²	F.1.14
天然草地	SWZY _ TRCD	N(11,2)	hm²	B.4.22
天然气储藏量	KZZY _ TRQ	N(15,2)	m³	B.4.26
铁储藏量	KZZY _ TIE	N(10,2)	t	B.4.27
铜储藏量	KZZY _ TONG	N(10,2)	t	B.4.28
统计分类	TJFL	C(2)		F.7.6
统计年份	TJNF	C(4)		B.1.5
统计日期	TJRQ	T		F.10.7
统计时段	TJSD	VC(20)		F.7.7
投资下达渠道	TZXDQD	VC(40)		F.4.13
土层厚度	TCHD	N(5,2)	m	D.3.8
土层深度代码	BTSD	N(2)	cm	D.32.7
土地利用类型编码	TDLYLXBM	C(3)		C.2.10
土地利用面积	TDLYMJ	N(11,2)	hm²	C.2.11
土地总面积	TDMJ _ ZMJ	N(8,2)	km²	F.1.10
土方	TF	N(11,2)	万 m³	F.6.53
土壤氮含量	TRXZ _ N	N(5,2)	mg/kg	D.37.14
土壤钾含量	TRXZ _ K	N(5,2)	mg/kg	D.37.16
土壤类型	TRLX	VC(50)		B.8.9
土壤类型编码	TRLXBM	C(3)		B.2.5
土壤类型名称	TRLXMC	VC(10)		B.2.6
土壤磷含量	TRXZ _ P	N(5,2)	mg/kg	D.37.15

字 段 名	标 识 符	类型及长度	单 位	字段描述章节
土壤侵蚀模数	TRQSMS	N(8,2)	$t/(km^2 \cdot a)$	B.8.12
土壤团粒结构含量	TRTLJGHL	N(4,2)	%	D.4.12
土壤有机质含量	YJZ	N(5,2)	g/kg	D.37.13
土石质面积	DBZC _ TSZ	N(8,2)	km^2	B.10.11
土质	TUZHI	VC(20)		D.3.7
土质面积	DBZC _ TZ	N(8,2)	km^2	B.10.12
完成保护面积	WCBHMJ	N(8,2)	km^2	E.2.12
完成混凝土方量	WCGCL _ HNTF	N(4,2)	万 m^3	F.15.8
完成石方量	WCGCL _ SF	N(4,2)	万 m^3	F.15.7
完成土方量	WCGCL _ TF	N(4,2)	万 m^3	F.15.6
危害情况	WHQK	VC(60)		D.39.10
微地形特征	WDXTZ	VC(100)		D.3.14
微度侵蚀	WDMJ	N(9,2)	km^2	D.40.8
违法案件个数	CCAJ _ WFAJ	N(5)	件	E.1.31
纬度	WD	VC(21)	度分秒 – 度分秒	A.4.7
未利用地	TDZY _ WLYD	N(11,2)	hm^2	B.4.15
文件类型	WJLX	VC(5)		A.15.9
文件描述	WJMS	VC(2000)		A.15.10
文盲人口数	RKSZ _ WM	N(7,2)	万人	C.1.19
乡镇编码	XZBM	C(9)		A.2.5
乡镇名称	XZMC	VC(60)		A.2.6
乡镇所占面积	XZSZMJ _ XLY	N(5,2)	km^2	A.6.7
相对高差	XDGC	N(6,2)	m	A.3.11
相关图片	XGTP	B		B.8.13
项目法人	XMFR	VC(400)		F.11.8
项目计划	XMJH	VC(400)		F.8.7

字 段 名	标 识 符	类型及长度	单 位	字段描述章节
项目简介	XXSM	B		F.3.6
项目建设区	XMJSQ	VC(200)		E.5.13
项目区封禁面积	XMQ_FJ	N(7,2)	hm^2	F.13.13
项目区允许值	YXZ	N(10,2)	t/(km^2·a)	E.5.27
项目区总面积	XMQ_Z	N(7,2)	km^2	F.13.12
项目验收参加单位	XMYSCJDW	VC(100)		F.12.8
项目验收阶段	XMYSJD	VC(20)		F.12.6
项目验收主持单位	XMYSZCDW	VC(20)		F.12.7
项目总投资	XMZTZ	N(8,2)	万元	F.5.16
小流域编码	XLYBM	C(12)		A.4.5
小区面积	XQMJ	N(5,2)	hm^2	D.3.13
小型坝	ZLCS_XXYDB	N(6)	座	F.1.29
小型水库	SK_XX	N(7)	座	F.2.11
小学毕业人口数	RKSZ_XX	N(8,2)	万人	C.1.20
效益费用比	XYFYB	N(4,2)		F.6.74
行业类别	HYLB	VC(30)		E.4.12
行政区编码	XZQBM	C(6)		A.1.5
行政区名称	XZQMC	VC(50)		A.1.6
行政区所占面积1	XZQSZMJ_ZL	N(9,2)	km^2	A.5.7
行政区所占面积2	XZQSZMJ_JDQ	N(7,2)	km^2	A.8.7
行政区所占面积3	XZQSZMJ_BHQ	N(7,2)	km^2	A.10.7
行政区所占面积4	XZQSZMJ_ZLQ	N(7,2)	km^2	A.12.7
行政区所占面积5	XZQSZMJ_DSCSQ	N(7,2)	km^2	A.13.6
行政区所占面积6	XZQSZMJ_HTGY	N(8,2)	km^2	A.14.6
胸径	XJ	N(4,1)	cm	D.7.10
蓄水池	ZLCS_XSC	N(6)	个	F.1.34
巡测报告	XCBG	B		E.7.11
巡测路线	XCLX	VC(30)		E.7.8

字 段 名	标 识 符	类型及长度	单 位	字段描述章节
巡测目的	XCMD	VC(30)		E.7.9
巡测情况	XCQK	VC(100)		E.7.10
巡测人名	XCR	VC(20)		E.7.6
巡测时间	XCSJ	T		E.7.7
验收时间	YSSJ	T		E.3.7
养羊只数	SXTS_YANG	N(7)	万只	C.3.17
养鱼效益	XYYY	N(5,2)	万尾	F.14.45
养猪头数	SXTS_ZHU	N(7)	万头	C.3.16
样方面积	YFMJ	N(5,1)	m²	G.1.8
样方位置	YFWZ	VC(20)		G.1.7
已建坝高	YJBG	N(3,1)	m	F.15.9
已建监测机构数	JCJG_YIJ	N(5)	个	E.1.14
已建监督机构数	JDJG_YIJ	N(5)	个	E.1.7
已淤坝高	YYBG	N(3,1)	m	F.17.15
已淤库容	YJKR	N(5,2)	万 m³	F.17.10
溢洪道断面高×宽	YHDDMGK	VC(20)		F.14.34
溢洪道型式	YHDXS	VC(20)		F.14.32
溢洪道总长度	YHDZCD	N(6,2)	m	F.14.33
引洪漫地	ZLCS_YHMD	N(11,2)	hm²	F.1.37
引水拉沙造地	ZLCS_YSLSZD	N(11,2)	hm²	F.1.42
饮水保证率	RJYSBZL	N(5,2)	%	C.3.23
应报水土保持方案	FASP_YBFA	N(5)	项	E.1.23
应建监测机构数	JCJG_YINGJ	N(5)	个	E.1.13
应建监督机构数	JDJG_YINGJ	N(5)	个	E.1.6
应征水土保持补偿费	YZSBBCF	N(7,2)	万元	E.3.16
油料量	YOUL	N(7,2)	t	F.6.58
有机磷农药含量	YJLNY	N(5,2)	mg/L	G.3.11
淤地坝工程编码	GCBM	C(13)		F.14.5
淤地坝合计	ZLCS_YDB	N(6)	座	F.1.30

字 段 名	标 识 符	类型及长度	单 位	字段描述章节
淤地坝已拦泥	YDB_YLN	N(10,2)	万 m³	F.2.21
淤地坝已淤面积	YDB_YYMJ	N(10,2)	hm²	F.2.20
淤地坝总库容	YDB_ZKR	N(10,2)	万 m³	F.2.19
淤地面积	XZYDMJ	N(6,2)	hm²	F.17.13
淤积量	YJL	N(7,2)	万 m³	D.39.9
淤积年限	YJNX	N(3)	年	F.14.16
郁闭度	YBD	N(4,2)	%	D.7.12
预防保护区范围	BHQFW	VC(20)		E.2.10
预审时间	YUSSJ	T		E.4.9
月降水量	YJSL	N(5,1)	mm	D.12.7
月降水日数	YJSRS	N(2)	d	D.12.8
月平均含沙量	YPJHSHAL	N(5,2)	kg/m³	D.20.7
月平均流量	YPJLL	N(6,2)	m³/s	D.17.7
月平均输沙率	YPJSSHAL	N(6,2)	kg/s	D.23.7
月最大含沙量	YZDHSHAL	N(5,2)	kg/m³	D.20.8
月最大含沙量日期	YZDHSHARQ	T		D.20.9
月最大流量	YZDLL	N(6,2)	m³/s	D.17.8
月最大流量日期	YZDLLRQ	T		D.17.9
月最大日降水量	YZDRL	N(4,1)	mm	D.12.9
月最大输沙率	YZDSSHAL	N(6,2)	kg/s	D.23.8
月最大输沙率日期	YZDSSLRQ	T		D.23.9
月最小含沙量	YZXHSHAL	N(5,2)	kg/m³	D.20.10
月最小含沙量日期	YZXHSHARQ	T		D.20.11
月最小流量	YZXLL	N(6,2)	m³/s	D.17.10
月最小流量日期	YZXLLRQ	T		D.17.11
造林保存活率	ZLCHL	N(4,2)	%	F.6.20
造林方法	ZLFF	VC(30)		D.7.7
责任范围面积	FZZRFW	N(11,2)	km²	E.4.7
炸药量	ZY	N(7,2)	t	F.6.59

字 段 名	标 识 符	类型及长度	单 位	字段描述章节
涨水历时	ZSLS	N(5)	h.min	D.26.12
征收补偿费	SFFK _ BCF	N(7,2)	万元	E.1.28
征收罚款	SFFK _ FK	N(7,2)	万元	E.1.29
征收防治费	SFFK _ FZF	N(7,2)	万元	E.1.27
政策措施	ZCCS	B		F.13.25
支沟名	ZGM	VC(20)		F.14.9
支流编码	ZLBM	C(8)		A.3.5
支流宽	ZLK	N(5,2)	km	A.3.19
支流名称	ZLMC	VC(20)		A.3.6
直接影响区	ZJYXQ	VC(200)		E.5.15
植被覆盖度	ZBFGD	N(5,2)	%	D.8.21
植被覆盖度 10% ~ 30% 面积	ZBFGD10 _ 30	N(8,2)	km^2	B.7.11
植被覆盖度 30% ~ 45% 面积	ZBFGD30 _ 45	N(8,2)	km^2	B.7.12
植被覆盖度 45% ~ 70% 面积	ZBFGD45 _ 70	N(8,2)	km^2	B.7.13
植被覆盖度 70% ~ 80% 面积	ZBFGD70 _ 80	N(8,2)	km^2	B.7.14
植被覆盖度大于 80% 面积	ZBFGD _ 80	N(8,2)	km^2	B.7.15
植被覆盖度小于 10% 面积	ZBFGD _ 10	N(8,2)	km^2	B.7.10
植被恢复系数	ZBHFXS	N(5,2)	%	E.5.33
植被类型	ZBLX	VC(50)		B.6.5
植被特征	ZBTZ	VC(400)		B.6.7
植物措施面积	ZWCSMJ	N(10,2)	hm^2	E.5.32
植物围栏	WL _ ZW	N(5)	m	F.13.16
治理度	ZLD	N(4,2)	%	E.5.23

字 段 名	标 识 符	类型及长度	单 位	字段描述章节
治理度(占总面积)	ZLD1	N(4,2)	%	F.6.16
治理面积	ZLCS _ ZLMJ	N(8,2)	km²	F.1.12
质量监督单位	JDDW	VC(400)		F.11.12
中度侵蚀	ZDMJ	N(9,2)	km²	D.40.10
中耕方法次数及时间	ZZLCS _ GFSCSSJ	VC(50)		D.4.10
中型坝	ZLCS _ ZXYDB	N(6)	座	F.1.28
中型水库	SK _ ZX	N(7)	座	F.2.10
中央年度计划投资	NDJH _ ZY	N(8,2)	万元	F.10.8
中央实际到位资金	SJDW _ ZY	N(8,2)	万元	F.10.11
中央投资	ZYTZ	N(9,2)	万元	F.4.14
种植作物名称	ZWMC	VC(30)		D.4.6
种籽量	ZZ	N(7,2)	t	F.6.61
重点监督区编码	ZDJDQBM	C(12)		A.7.5
重点监督区简介	ZDJDQJJ	B		A.7.6
重点预防保护区编码	YFBHQBM	C(12)		A.9.5
重点预防保护区简介	YFBHQJJ	B		A.9.6
重点治理区编码	ZLQBM	C(12)		A.11.5
重点治理区简介	ZLQJJ	B		A.11.6
主体工程已列投资	YLTZ	N(7,2)	万元	E.5.36
主要保护措施	ZYBHCS	VC(200)		E.2.13
主要防治措施及工程量	FZCS	VC(200)		E.5.24
主要分布区域	ZYFBQY	VC(1000)		B.2.7
主要验收意见	YSYJ	VC(4000)		E.6.11
专题分类编码	ZTFLBM	C(2)		A.16.7
专题名称	ZTMC	VC(100)		A.16.9
专题序号	ZTXH	VC(20)		A.16.8
专职监督人员数	JDRY _ ZZ	N(6)	人	E.1.8
桩编号	ZBH	VC(20)		D.34.7
总工期	ZGQ	N(4)	d	F.14.54

字 段 名	标 识 符	类型及长度	单 位	字段描述章节
总户数	ZHS	N(7)	户	C.1.11
总计划完成情况	ZJHWCQK	VC(400)		F.8.14
总降水量	ZJSL	N(5,1)	mm	B.5.10
总库容	ZKR	N(5,2)	万 m³	F.14.13
总面积	ZMJ	N(8,2)	km²	C.1.10
总年蒸发量	ZZFL	N(5)	mm	B.5.14
总人口数	RK＿SUM	N(8,2)	万人	C.1.12
总砷	ZS	N(5,2)	mg/L	G.3.10
总用工日	ZYGR	N(7,2)	万工日	F.6.62
最大坝高	LHBZDBG	N(5,2)	m	F.14.18
最大风速	ZDFS	N(5,2)	m/s	B.5.26
最大含沙量	ZDHSHAL	N(5,2)	kg/m³	D.26.19
最大流量	ZDLL	N(5,2)	m³/s	D.26.17
最大流速	ZDLS	N(4,2)	m/s	D.25.14
最大年降水量	MAXJSL	N(4)	mm	B.5.12
最大年蒸发量	MAXZFL	N(5)	mm	B.5.15
最大水深	ZDSS	N(3,1)	m	D.25.18
最低高程	ZDGC	N(6,2)	m	A.4.9
最高高程	ZGGC	N(6,2)	m	A.4.8
最小年降水量	MINJSL	N(3)	mm	B.5.13
最小年蒸发量	MINZFL	N(4)	mm	B.5.16

"数字黄河"工程标准

黄河流域水土保持信息
代码编制规定

Specification on Soil and Water Conservation
Information Coding of the Yellow River Basin

SZHH12—2004

根据"数字黄河"工程中黄河流域水土保持生态环境监测系统建设需要,依照《水利技术标准编写规定》(SL1—2002),制定本规定。

《黄河流域水土保持信息代码编制规定》主要包括以下内容:

·陈述了主题内容与使用范围;

·定义了所涉及的主要概念和术语;

·给出了代码分类、编制原则和编制方法;

·规定了 14 种黄河流域水土保持信息的编码,并作了说明。

1 总　　则

1.0.1　为适应黄河流域水土保持生态环境监测系统建设的需要，依据国家有关技术标准和黄河流域水土保持工作特点，制定本规定。

1.0.2　本规定是黄河流域水土保持基础信息代码编制的原则与方法。该规定用以标识黄河流域水土保持信息，保证其存储与交换的一致性与惟一性，以利于信息资源的共享。

1.0.3　本规定适用于黄河流域水土保持基础资料的编写及信息的采集、存储、检索、分析、输出及交换等。西北内陆河地区参照执行。

1.0.4　本标准引用以下标准：

《中华人民共和国行政区划代码》(GB/T 2260—2002)

《黄河水利工程基础信息代码编制规定》(SZHH07—2003)

《黄河基础地理要素分层标准》(SZHH11—2003)

2 术　　语

2.0.1 小流域。指江河水系中的基本集水单元。流域大小的划分是相对的,水土保持工作中的小流域,是水土流失的基本单元,也是水土保持综合治理的基本单元,面积一般为 $30 \sim 50 km^2$。

2.0.2 水土保持监测点。它是水土保持监测网络的基础,一般利用一定的观测设施或设备,对水土流失及其影响因子,水土保持措施的数量、质量、效益或其他特定指标进行监测。

2.0.3 径流小区。指布设在地形、土壤、植被等有代表性的坡地上,用于观测径流和土壤侵蚀的闭合区域。

2.0.4 水土保持生态工程项目。指在一定区域内,在统一规划的基础上,以防治水土流失、改善生态环境、促进经济社会发展为目的,以水土保持措施建设为主要内容,按照规定程序实施的,具有特定目标、工期、投资和质量要求的水土保持建设活动。

2.0.5 淤地坝。指在沟道中以拦泥、缓洪、淤地造田、发展生产为目的而修筑的一种水土保持工程设施。根据淤地坝的坝高、库容、淤地面积等,分为小型、中型、大型三类。中小型淤地坝的主要作用是拦泥淤地,大型淤地坝(包括骨干工程)的主要作用是拦截上游洪水泥沙,保护下游中小型淤地坝安全,提高沟道工程防洪标准。

2.0.6 开发建设项目水土保持方案。为防止开发建设项目造成新的水土流失,按照《中华人民共和国水土保持法》及有关技术规范要求,编制的水土流失预防保护和综合治理的设计文件,是开发建设项目总体设计的重要组成部分,也是设计和实施水土保持措施的技术依据。

2.0.7 水土保持类型区。根据自然和社会经济条件、水土流失类型、强度和危害,以及水土流失防治方法的区域相似性和区域间差异性而划分的黄河流域各类水土保持分区。黄河流域水土保持类型区分为:黄土高塬沟壑区、黄土丘陵沟壑区、黄土阶地区、冲击平原区、高地草原区、干旱草原区、土石山区、风沙区、林区等。

2.0.8 水土保持"三区"。指由县级以上人民政府依法根据当地水土流失情况,在本辖区内划定并公告的水土保持重点区域,包括重点治理区、重点监督区、重点预防保护区。

2.0.9 水土保持综合治理措施。为防治水土流失,保护、改良与合理利用水土资源,改善生态环境所采取的工程、植物和耕作等技术措施与管理措施的总称。

2.0.10 土壤侵蚀类型。按照侵蚀营力的不同而划分的土壤侵蚀类别,主要有水力侵蚀、风力侵蚀、冻融侵蚀、重力侵蚀、人为侵蚀。

2.0.11 土壤侵蚀强度。指以单位面积和单位时段内发生的土壤侵蚀量为指标划分的土壤侵蚀等级。

2.0.12 地面组成物质。指地面上土类、岩石、沙地的分布以及农业土壤的主要物理化学性质等。

3 代码编制及说明

3.1 编码原则

3.1.1 科学性、系统性。依据现行国家标准及行业标准,并结合水土保持特点,以适应信息处理为目标,对水土保持信息按类别、属性或特征进行科学编码,形成系统的、符合专业分类逻辑顺序的编码体系。

3.1.2 惟一性。每一个编码对象仅有一个代码,一个代码只标识一个编码对象。信息类型之间不能相互包含或交叉。

3.1.3 相对稳定性。编码体系以各要素相对稳定的属性或特征为基础,编码在位数上也留有一定的余地,能在较长时间里不发生重大变更。

3.1.4 完整性和可扩展性。编码既反映要素的属性,又反映要素间的相互关系,具有完整性。编码结构留有适当的扩充余地。

3.1.5 实用性。编码尽可能简短和便于记忆。

3.1.6 上限排除法。本标准中,所有用连续区间表示的数字,均采用上限排除法原则。

3.2 分类、编码方法

3.2.1 编码方式。黄河流域水土保持信息代码采用字母和数字的混合编码,编码方式统一采用组合码。

3.2.2 分类方式。首位用1位字母(U)表示水土保持,第二位用1位字母(D)表示黄河流域,第三位用1位字母(去掉I、O、

Z)表示信息类别。

3.3 代码的编制及说明

3.3.1 小流域

编码目的:惟一标识黄河流域内的水土保持小流域。

编码原则:用 12 位字母和数字的组合码表示小流域信息
类别、所在河流及编号。

代码格式:AABCCCCCCNNN

说明:

AA:2 位字母码,表示黄河流域水土保持信息,取值 UD。

B:1 位字母码,表示小流域信息,取值 A。

CCCCCC:6 位字母和数字的组合码表示所在河流编码。河
流编码参照《黄河水利工程基础信息代码编制规
定》(SZHH07—2003),取河流代码的后 6 位码。

NNN:3 位数字表示小流域的编号,取值 001～999。

3.3.2 水土保持监测点

编码目的:惟一标识黄河流域现有的水土保持监测点。

编码原则:用 13 位字母与数字的组合码表示水土保持监
测点所在行政区、类型及编号。

代码格式:AABPPRRCCYNNN

说明:

AA:2 位字母码,表示黄河流域水土保持信息,取值 UD。

B:1 位字母码,表示监测点信息,取值 B。

PPRRCC:6 位数字表示行政区划代码(省、市、县),见《中华
人民共和国行政区划代码》(GB 2260—2002)。

Y:1 位字母表示该监测点的类型。

A:径流站

B:雨量站

C:径流小区

D:重力侵蚀监测点

E:风蚀监测点

F:滑坡监测点

G:冻融监测点

H:监测坝

J:遥感样区监测点

K:典型农户监测点

L:植被监测点

M:土壤监测点

N:水质监测点

P:小气候监测点

Q:泥石流监测点

W:其他

NNN:3位数字表示该监测点的编号,取值001~999。

3.3.3 水土保持生态工程项目

编码目的:惟一标识黄河流域现有的水土保持生态工程项
目。

编码原则:用12位字母和数字的组合码表示水土保持生
态工程项目所在行政区、项目级别和编号。

代码格式：AABPPRRCCYNN

说明:

AA:2位字母码,表示黄河流域水土保持信息,取值UD。

B:1位字母码,表示水土保持生态工程项目信息,取值C。

PPRRCC:6位数字表示行政区划代码(省、市、县),应符合
(GB 2260—2002)规定。跨省水土保持工程PP取
00,跨地区RR取00,跨县水土保持工程CC取

00。

Y:1 位字母表示水土保持工程项目级别。

A:中央(国家发改委、水利部、黄河水利委员会等)

B:省区

C:其他

NN:2 位数字表示某区域内某个水土保持工程的编号,取值 01～99。

3.3.4 淤地坝

编码目的:惟一标识黄河流域已建的淤地坝。

编码原则:用 13 位字母和数字的组合码表示淤地坝所在流域、等级和编号。

代码格式:AABCCCCCCYNNN

说明:

AA:2 位字母码,表示黄河流域水土保持信息,取值 UD。

B:1 位字母码,表示淤地坝信息,取值 D。

CCCCCC:见 3.3.1。

Y:1 位字母表示淤地坝等级。

A:骨干坝:库容 50 万～500 万 m^3。修在主沟的中、下游或较大支沟下游,建筑物一般是"三大件"齐全。

B:中型坝:库容 10 万～50 万 m^3。修在较大支沟下游或主沟上中游,建筑物少数为土坝、溢洪道、泄水洞"三大件",多数为土坝与溢洪道或土坝与泄水洞"两大件"。

C:小型坝:库容 1 万～10 万 m^3。修在小支沟或较大支沟的中上游,建筑物一般为土坝与溢洪道或土坝与泄水洞"两大件"。

NNN:3 位数字表示淤地坝编号,取值 001～999。

3.3.5 开发建设项目水土保持方案

编码目的:惟一标识黄河流域已编制完成的大中型开发建设项目水土保持方案。

编码原则:用 8 位字母和数字的组合码表示水土保持方案信息类别、工程类别及编号。

代码格式: AABYNNNN

说明:

AA:2 位字母码,表示黄河流域水土保持信息,取值 UD。

B:1 位字母码,表示开发建设项目水土保持方案信息,取值 E。

Y:1 位字母表示主要工程类别。

    A:采矿

    B:铁路

    C:公路

    D:油田

    E:天然气田

    F:输送管道

    G:水利工程

    H:电力工程

    J:其他

NNNN:4 位数字表示开发建设项目编号,取值 0001 ~ 9999。

3.3.6　水土保持类型区

编码目的:惟一标识黄河流域各水土保持类型区。

编码原则:用 5 位字母和数字的组合码表示黄河流域水土保持区划类型及编号。

代码格式: AABNN

说明:

AA:2 位字母码,表示黄河流域水土保持信息,取值 UD。

B:1 位字母码,表示水土保持类型区信息,取值 F。

NN:2位数字表示水土保持区划类型编号,取值01~99。

    10:黄土丘陵沟壑区

    11:黄土丘陵沟壑区第一副区

    12:黄土丘陵沟壑区第二副区

    13:黄土丘陵沟壑区第三副区

    14:黄土丘陵沟壑区第四副区

    15:黄土丘陵沟壑区第五副区

    20:黄土高塬沟壑区

    30:黄土阶地区

    40:冲击平原区

    50:高地草原区

    60:干旱草原区

    70:土石山区

    80:风沙区

    90:林区

3.3.7 水土保持"三区"

编码目的:惟一标识黄河流域某一行政区内的水土保持"三区"。

编码原则:用12位字母和数字的组合码表示"三区"所在行政区、类别及编号。

代码格式：AABPPRRCCYNN

说明:

AA:2位字母码,表示黄河流域水土保持信息,取值UD。

B:1位字母码,表示水土保持"三区"划分信息,取值G。

PPRRCC:见3.3.3。

Y:1位数字表示水土保持"三区"划分的类别。

    0:国家级重点治理区

    1:国家级重点监督区

2:国家级重点防护区

3:省级重点治理区

4:省级重点监督区

5:省级重点预防保护区

6:县级重点治理区

7:县级重点监督区

8:县级重点预防保护区

9:其他

NN:2 位数字表示该区域类别下的"三区"的编号,取值 01 ~ 99。

3.3.8 水土保持机构

编码目的:惟一标识黄河流域现有的水土保持机构。

编码原则:用 12 位字母和数字的组合码表示水土保持机构所在行政区、行政隶属关系和编码。

代码格式:AABPPRRCCTNN

说明:

AA:2 位字母码,表示黄河流域水土保持信息,取值 UD。

B:1 位字母码,表示水土保持机构信息,取值 H。

PPRRCC:见 3.3.2。

T:1 位数字表示水土保持机构的行政隶属关系。

1:中央机构

2:省级机构

3:地(市)级机构

4:县级机构

5:其他

NN:2 位表示该区域(行政区划)内某个水土保持机构的编号,取值 01 ~ 99。

3.3.9 水土保持综合治理措施

编码目的:惟一标识黄河流域现有水土保持综合治理措施

类型。

编码原则:用 8 位字母和数字的组合码表示水土保持综合
治理措施分类。

代码格式:AABYNNNN

说明:

AA:2 位字母码,表示黄河流域水土保持信息,取值 UD。

B:1 位字母码,表示水土保持综合治理措施信息,取值 J。

Y:1 位字母表示治理措施类别。

    A:生物措施

    B:工程措施

    C:耕作措施

    D:其他措施

NNNN:4 位数字码,表示具体治理措施。

  1000:坡耕地治理措施

    1100:梯田

    1200:水浇地

    1300:保土耕作

  2000:荒地治理措施

    2100:水土保持造林

      2110:乔木林

      2120:灌木林

      2130:果园

      2140:经济林

      2150:苗圃

    2200:人工种草

    2300:封禁治理

  3000:沟壑治理措施

    3100:坝地

3200:沟头防护

3300:谷坊

3400:淤地坝

　3410:骨干坝

　3420:中型坝

　3430:小型坝

3500:拦沙坝

4000:小型蓄排饮水工程

　4100:坡面小型蓄排工程

　　4110:截水沟

　　4120:排水沟

　　4130:沉沙池

　　4140:蓄水池

　4200:"四旁"小型蓄水工程

　　4210:水窖

　　4220:涝池

　　4230:塘坝

　4300:引洪漫地工程

　4400:人字闸

5000:风沙区治理措施

　5100:沙障

　5200:固沙造林

　5300:固沙种草

　5400:引水拉沙造地

6000:崩岗治理措施

7000:其他措施

　7100:道路

3.3.10　土壤侵蚀类型

编码目的:惟一标识黄河流域现有土壤侵蚀类型。

编码原则:用4位字母和数字的组合码表示黄河流域土壤侵蚀类型信息及编号。

代码格式:AABN

说明:

AA:2位字母码,表示黄河流域水土保持信息,取值 UD。

B:1位字母码,表示土壤侵蚀类型信息,取值 K。

N:1位数字表示土壤侵蚀类型编号。

　　1:水蚀

　　2:风蚀

　　3:冻融侵蚀

　　4:重力侵蚀

　　5:人为侵蚀

3.3.11　土壤侵蚀强度

编码目的:惟一标识黄河流域现有土壤侵蚀强度等级。

编码原则:用4位字母和数字的组合码表示黄河流域土壤侵蚀等级信息及编号。

代码格式：AABN

说明:

AA:2位字母码,表示黄河流域水土保持信息,取值 UD。

B:1位字母码,表示土壤侵蚀强度等级信息,取值 L。

N:1位数字表示土壤侵蚀类型编号,取值1~6。应符合表3.3.11规定。

3.3.12　地面组成物质

编码目的:惟一标识黄河流域现有地面主要组成物质。

编码原则:用4位字母和数字的组合码表示黄河流域地面主要组成物质信息分类及编号。

代码格式：AABN

说明:

AA:2位字母码,表示黄河流域水土保持信息,取值UD。

B:1位字母码,表示地表组成物质信息,取值M。

N:1位数字表示地表组成物质类型编号,取值1～9。

1:石质

2:土石质

3:土质

4:沙质

5:居民地

6:水面

表3.3.11　土壤侵蚀类型编号

编号	级别	平均侵蚀模数 [t/(km²·a)]	平均流失厚度 (mm/a)
1	微度	< 1000	< 0.74
2	轻度	1000 ～ 2500	0.74 ～ 1.9
3	中度	2500 ～ 5000	1.9 ～ 3.7
4	强度	5000 ～ 8000	3.7 ～ 5.9
5	极强度	8000 ～ 15000	5.9 ～ 11.1
6	剧烈	> 15000	> 11.1

3.3.13　地面坡度

编码目的:惟一标识黄河流域地面坡度等级。

编码原则:用4位字母和数字的组合码表示地面坡度信息分类及编号。

代码格式:AABN

说明:

AA:2位字母码,表示黄河流域水土保持信息,取值UD。

B:1位字母码,表示地面坡度等级信息,取值N。

N:1位数字表示地面坡度类型编号,取值1～6。

1:坡度小于5°

2:坡度为 5° ~ 8°

3:坡度为 8° ~ 15°

4:坡度为 15° ~ 25°

5:坡度为 25° ~ 35°

6:坡度大于 35°

3.3.14　植被覆盖度

编码目的:惟一标识黄河流域某一区域的植被覆盖度等
　　　　　级。

编码原则:用 4 位字母和数字的组合码表示植被覆盖度
　　　　　信息及编号。

代码格式: AABN

说明:

AA:2 位字母码,表示黄河流域水土保持信息,取值 UD。

B:1 位字母码,表示植被覆盖度等级信息,取值 P。

N:1 位数字表示植被覆盖度等级编号,取值 1 ~ 6。

1:高覆盖,植被覆盖度 >80%

2:中高覆盖,植被覆盖度 70% ~ 80%

3:中覆盖,植被覆盖度 45% ~ 70%

4:中低覆盖,植被覆盖度 30% ~ 45%

5:低覆盖,植被覆盖度 10% ~ 30%

6:裸地,植被覆盖度 < 10%

附录 A　信息分类码

黄河流域水土保持信息分类码按字母定义如下：

UDA:小流域

UDB:水土保持监测点

UDC:水土保持生态工程项目

UDD:淤地坝

UDE:开发建设项目水土保持方案

UDF:水土保持类型区

UDG:水土保持"三区"

UDH:水土保持机构

UDJ:水土保持综合治理措施

UDK:土壤侵蚀类型

UDL:土壤侵蚀强度

UDM:地面组成物质

UDN:地面坡度

UDP:植被覆盖度